この国を蝕む「神話」解体

佐々木俊尚

市民目線
テクノロジー否定
テロリストの物語化
反権力

徳間書店

この国を蝕む「神話」解体

佐々木俊尚

この国を停滞させる「二十世紀の神話」を終わらせよう
～まえがきにかえて～

二十一世紀になって、四半世紀が過ぎ去ろうとしている。この新しい世紀も、もう残り四分の三しかないのだ。「二十一世紀」ということばには、かつて輝かしい夢があった。昭和に生まれた人たちは子どもの頃、自動車が空を飛び、人類が銀河系に進出し、人間型のロボットがあらゆる家事をやってくれるような「二十一世紀の未来」の絵を描いたのを覚えているだろう。

銀河系には進出できていないしロボットもそこまで進化していないが、現実の二十一世紀は驚くほどのテクノロジーに彩られている。手のひらにのるスマートフォンは日常生活のあらゆる場面を支えているし、自動車は無人運転になってきた。人間そっくりにコミュニケーションしてくれる対話型人工知能の登場は、二〇二二年の最大の驚きだった。

先端テクノロジーは、驚くべきスピードで進化している。しかしそれとは裏腹に、日本社会には古くさい「神話」のようなものがあいかわらず鎮座していて、わたしたちの政治や経済や社会をジャマしている。

古くさい神話といっても、本書で語ろうとしているのは「日本はいまだ封建社会」「戦前に回帰したいウルトラ保守がのさばっている」というようなステレオタイプではない。そういう「封建的」「保守的」は、せいぜい二十世紀半ばまでのかなり昔の日本である。そもそも「日本は封建的」という言いまわしそのものが、すでに古くさい神話になり果てている。

いま議論すべき「二十世紀の古くさい神話」とは何か。それは端的に言えば、テレビや新聞などのマスコミが二十世紀後半につくり上げてきたステレオタイプなモノの見方の数々である。それらの神話は二十世紀には有効だったかもしれないが、二十一世紀の現在ではまったく無意味になっている。なのにたくさんの古くさい神話が、依然としてマスコミの影響力とともに頑として日本社会のあちこちに蔓延しているのだ。

いくつか例を挙げてみよう。

「市民目線」はいかにあやしく不確かか

新聞やテレビでは「庶民感覚からかけ離れている」「市民目線を取り戻せ」などの言いまわしがいまもさかんに使われている。しかし「庶民感覚」「市民の目線」は本当に正しいのだろうか。

庶民のほうが政治家や官僚、経営者よりも健全で正しい、という幻想は二十世紀の頃にはたしかにあった。日本の政治は一九五五年から二十世紀の終わりまで「五十五年体制」と呼ばれ、政治家と官僚、経済界というトライアングルががっちりと手を握り合って権力を掌握し、富の分配もこの権力によって行われていた。そこに一般社会の普通の人たちが入り込む余地はなかった。

だから権力のトライアングルに対抗するかたちで「市民目線」「庶民感覚」を盾にするというのは、当時としては決して間違いではなかったのである。

しかしその対立構図を、半世紀以上も経ったいまも大事に抱えてしまったままでいいのか。

市民目線がいかにあやしく不確かなものであるのかを象徴する作品がある。一九九一年に映画化もされている**三谷幸喜氏の『12人の優しい日本人』**という戯曲である。まだ日本に裁判員制度がなかった時代に、「もし日本にアメリカのような陪審員制度ができたらどうなるか？」という仮説のもとにつくられた物語だ。

タイトルからわかる通り、一九五七年の有名なアメリカ映画『**十二人の怒れる男**』のパロディになっている。父親殺しの罪に問われた少年の裁判で、陪審員の大半が有罪と確信する中でたったひとりの陪審員が少年の無罪を主張し、他の陪審員を説得していくという骨太な物語だった。ひたすら密室での議論を描き続けるという地味な作品だが、「公正さとは何か」を考えさせられる素晴らしいストーリーで、日本でも大ヒットした。

これに対し『12人の優しい日本人』では、陪審員である12人全員が最初から「無罪」に賛同している。ひとりの陪審員が無罪に反論するのにもかかわらず、「いや、でも被告がかわいそうですし」「たぶん、やってないんじゃないかなあ」といったあやふやで曖昧な理由や付和雷同で、なかなか議論に進んでいかない。「どうして無罪なんですか？」と聞かれた陪審員の中年女性は、曖昧な笑みを浮かべながら答える。「人を殺すような悪い人に見えなかったから……」

他にも「殺意はあったかもしれないけど、かわいそうだから無罪」という曖昧な意見がたくさん出てくる。「日本人は調和を愛する」「日本人は遠慮がちで優しい人たち」、つまり優しく曖昧というのが、当時の日本人の自己イメージだったのだろう。だから映画は大ヒットし、評価も高かった。

そして時代は二十一世紀になり、二〇〇九年にホンモノの裁判員制度がスタートする。映画『12人の優しい日本人』から約二十年が経っていた。

リアルな裁判員制度でも、日本人はみんな優しく曖昧だったのだろうか？

現実はまったく逆だった。「厳罰化」が起きてしまったのである。

以前の裁判では、検察官の求刑よりも少し軽い判決になるのが常識だった。ところが裁判員制度になってからは、なんと求刑よりも重い判決が出るということが起きている。殺人事件では「被害者が一人の場合、よほどの事情がなければ死刑にしない」という「永山基準」と呼ばれる暗黙のルールがこれまであった。しかし裁判員裁判では、検察が無期懲役の求刑をしている「一人を殺した」被告に、死刑判決を下した事例もある。

一九九〇年代の三谷幸喜氏もその他多くの日本人も、まさか日本人の本心にこんな苛烈さが潜んでいるとは思っていなかっただろう。しかしわたしたち日本人は、見知らぬ他人に対してはとても苛烈になれてしまうのが現実なのだ。

二十世紀の頃は大企業は終身雇用制が当たり前で、共同体意識がまだ健在だった。共同体の中では日本人は他者をいたわっていると、わたしたちは信じていた。しかし共同体の外の人間に対しては、実は苛烈な意識を持っていた。そこに気づいている人は少なかったということなのだろう。

しみじみとした哀感のイメージがある「庶民感覚」には、実はこういう苛烈さが潜んでいる。盲目的に「庶民感覚だから良い」と信じられるのは、二十世紀の幻想だったのである。

テクノロジーを怖がるステレオタイプ

もうひとつ「古くさい神話」の例を挙げよう。

「テクノロジーや科学は必ずしも人を幸せにしない」「合理性ばかりを追い求めていいのか」などというステレオタイプな言いまわしがある。いまだに新聞やテレビでコメンテーターや識者が、さも知ったふうにこういうことを言っているのを見かけることがある。

しかし日本の戦後史を振り返ってみると、一九六〇年代の高度経済成長を牽引したのは電気や重工業、自動車などのテクノロジーである。それなのになぜ、反テクノロジーのような考え方が生まれてきたのだろうか。

これは一九六〇〜七〇年代にたくさん起きていた環境問題、当時のことばで言えば「公害」に由来がある。

高度成長は日本の工業化を一気に推し進めたが、環境を保護する対策が追いついていなかった。工場は有害物質の混じった廃水を河川に垂れ流し、水俣病などの公害病を発生させた。大気汚染もひどく、四日市ぜんそくや光化学スモッグなどが各地で問題になった。

このひどい惨状を、当時の新聞は「経済成長の一方で、人々の健康が害されている。このままでいいのか」と批判した。当時としては、とても真っ当な批判である。

環境問題は続発していたのにもかかわらず、一九七〇年に開かれた大阪万博では「人類の進歩と調和」というスローガンのもとに科学の未来が高らかにうたい上げられた。これも科学万能主義に疑問をとなえるきっかけになった。

しかしこれは、もう半世紀以上も前の話である。

「公害」以降の日本はどうなっただろうか。一九八〇年代末にはバブル経済で盛り上がるが、一九九〇年代に入るとまたたく間に崩壊して経済は失速。日本は平成の時代に、底知れぬ三十年不況へと突入していく。二〇〇〇年代には日本の自慢だったはずのテクノロジーも世界に追いつけなくなり、電機・エレクトロニクスの業界は総崩れになった。いまこの分野は中国と台湾、韓国が制覇している。日本は自動車産業ではまだ世界をリードしているが、EV・自動運転のテクノロジーが加速する中で先行きは不透明だ。部品やモジュールなどの中間財を供給する国としては日本は依然として大きな存在だが、最終消費財や巨大プラットフォームを押さえられる国力はもうなくなっている。

それなのに、いまだにテレビのワイドショーなどではコメンテーターが「テクノロジーは人を必ずしも幸せにしない」「合理性ばかりを追い求めていいのか」と、オウム返しのように一九七〇年代のステレオタイプを口にしている。こういう番組に影響されて、AIや自動運転などの新しいテクノロジーが登場するたびに人々は「怖い、怖い」と、これもオウム返しに口にするようになっている。「怖い、怖い」という前に、まず自分の国がテクノロジーで他国に圧倒的に立ち遅れていることを直視すべきではないだろうか。

日本はいまこそ最先端テクノロジーで挽回し、テクノロジーで駆動していく産業と社会を再生させることが求められている。それをいちばん邪魔しているのが、いまだに生き残っている一九七〇年代のステレオタイプなのである。

＊

日本には、このような「二十世紀の古くさい神話」がそこらじゅうにはびこっている。

本書の目的は、日本社会で語られているさまざまな言いまわしを「棚おろし」して、二十一世紀の現実にまったくそぐわない古くさい神話の数々を洗い出すことである。そしてそのうえで、この先にどう未来の社会を考えていけばいいのかを呈示することである。

佐々木俊尚

目次

第二章 反権力の神話

目次

第三章 メディアの神話

目次

なぜ「ウクライナ人は降伏せよ」と古い知識人たちは言いたがるのか

穏健化していた社会運動はなぜ先祖返りして過激化したか

自由を侵そうとする人たちはなぜ右派から左派に移ったか

目次

装幀
金井久幸
［TwoThree］
本文デザイン
横山みさと
［TwoThree］
帯写真
松山勇樹
文中写真
共同通信イメージズ

第一章 社会の神話

- 「弱者」という幻想
- 「物価高＝悪」のステレオタイプ
- 監視社会は「悪のビッグブラザー」ではない
- なぜ在外邦人は「上から目線」で日本を語るのか

「弱者」という幻想

「マイノリティの目線」に縛られるメディア

「弱者」「マイノリティ」などの用語は、二十一世紀になって棍棒《こんぼう》のように振り回されすぎたせいで、すっかり軽いことばになってしまった。新聞やテレビ、ツイッターなどいたるところに「いまの政治にはマイノリティへのまなざしが欠落している」「弱者に寄り添え」などの言いまわしがあふれている。

もちろん、弱者の味方をすることが悪いわけではない。弱者を救うのは当然のことだし、それを否定する人はいないだろう。では、このように「弱者」「弱者」と言いつのることの問題点とは何か。

それは「弱者」「マイノリティ」がいったいだれを指しているのか、ということが大きく変化してきていると認識されていないことである。弱者の意味が変わってきているのに、それを看過してしまって、ステレオタイプに弱者、マイノリティと言い続けていることが問題なのである。

この数十年の歴史を振り返ってみよう。

一九六〇年代の高度経済成長の頃から一九九〇年代ぐらいまでは、日本は「総中流社会」と呼ばれていた。貧困はほぼ撲滅したと思われていて、格差はあってもさほどは目立たず、大半の日本人が「自分は中流である」と考えていた。マジョリティとマイノリティの違いは明快だった。この時代のマスコミには「標準家庭」という用語があって、会社員の夫と専業主婦の妻、子ども二人の四人家族の意味だった。増税などのニュースがあると、新聞やテレビは「標準家庭では、平均して年に一万二千円の負担増になります」と解説していた。

すなわち、この四人家族こそが「標準」でありマジョリティだったのである。そしてこの「標準」に当てはまらない人が、マイノリティ。障がい者や病人やＬＧＢＴや在日の人、さらには働く独身女性なども、時にこのマイノリティの箱に入れられていた。

わたしは一九九〇年代には、事件・事故や社会問題を扱う全国紙の記者だった。先輩や上司からは、さかんに新聞記者の理念を叩き込まれた。このような理念だ。

「マイノリティの目線で社会を見よ。社会の外側から社会の内側を見て、光を逆照射することによって、総中流社会に潜んでいる問題が見えてくるのだ」

この理念は、二十一世紀になっても綿々とマスコミの中に引き継がれているように感じる。しかし世紀が変わって、時代の空気も大きく変化している。それにマスコミの人たちは気づいていない。

最大の変化として、二〇〇〇年代の小泉純一郎首相のときに派遣法が改正され、非正規雇用がどっと増えたことがある。いまや働いている人の四割が非正規雇用である。正社員はだんだんマジョリティではなくなってきている。

さらに正社員であっても、平成不況の三十年のあいだにコスト削減と人員削減のあおりを受けて仕事はきつくなり、労働時間も増え、ブラック労働の問題も大きくクローズアップされるようになった。終身雇用は事実上崩壊し、いつ会社が潰れるのか、いつ自分が失業するのかわからないという不安を、非正規の人だけでなく正社員の多くも感じるようになっている。

つまり圧倒的な強者だったはずの男性が、平成のあいだに弱者に転落してきているのである。「家父長」という古いことばもあるように、昭和の頃までは男性は家庭でいちばん偉い人だった。会社や組織には、偉そうにいばっている中年の男はたくさんいた。いまでもそういう人がいなくなったわけではないが、多くの男性が結婚もできず、非正規で働き、正社員であっても日々抑圧されて、弱者に転落している。

「総中流社会」もすっかり崩壊し、格差が広まり、富める者と貧しき者の上下の分断が進んでいる。年収二百万円以下の貧しき中年男性が、どうして強者やマジョリティになれるというのだろうか。

「総弱者社会」の到来

さて、このように前世紀とくらべると社会構造が大きく変化したのにもかかわらず、マスコミはいまも「マイノリティの目線で社会を見よ」という古い姿勢を引きずってしまっている。

ＬＧＢＴや障がい者への差別がなくなったわけではないのはもちろんだが、「差別される弱者」は一部の人たちだけではなくなったことが大きな変化なのである。ＬＧＢＴや障がい者だけが弱者なのではなく、社会のあらゆる層が弱者化していくという「総弱者社会」が到来しているのである。

この「総弱者社会」では、だれが弱者になっていてもおかしくない。しかし、もし全員が弱者になってしまったら、いったいだれが弱者を守ってくれるのか？

ほとんどの人が弱者である社会をイメージしてみよう。弱者の「弱さ」にも強弱がある。強いところと、弱いところがある。

たとえばシングルマザーは、とても弱い存在だ。厚生労働省の二〇一六年の調査だと、母子世帯の母親の平均年収は約二百万円だという。働いている人全体の平均年収の半分以下である。支援も行き届かず、困っている人はとても多い。

では、シングルマザーよりももっと弱い弱者はいるだろうか？　インターネットのスラングで「キモくて金のないオッサン」というのがある。略して「ＫＫＯ」という。年収二百万円以下の非正規雇用の人は日本に一千万人近くいて「アンダークラス」などと呼ばれているが、このアンダークラスの中でも中年の男性はとびきりの弱者だ。彼らをシングルマザーと比べてみたらどうだろうか。

もちろん、ひとりひとりによってさまざまなケースがあるので、単純に「どちらがより弱者か」などと比較するのは、倫理的にもよろしくない。しかし、それでも強いて比較対象として見ると、シングルマザーには一点だけＫＫＯに優る部分がある。それは「女性だから、助けの手を差し伸べてもらいやすい」という点だ。

ＫＫＯは、容易に助けの手を差し伸べてもらえない。なぜなら「キモい」からである。ボランティアなど女性の支援者がうかつに手を差し伸べたりすれば、勘違いして襲ってくることだってあるかもしれない。だれからも見棄てられてしまう可能性が高いのが、ＫＫＯなのである。しかし社会は「彼らは男性だから」という理由で弱者として扱うことをしない。

「だれが弱者で、だれが弱者ではない」と決めつけることの空《むな》しさが、ここにはある。

女性とトランスジェンダーのどちらが弱者なのか？　という議論も、複雑だ。

しばらく前からくすぶっている「トランスジェンダー女性はスポーツ競技の女子種目に

参加していいのか?」「トランスジェンダー女性は、女子トイレや女性用の浴場を使っていいのか?」という議論がある。トランスジェンダー女性というのは、もとは男性だったが「自分は女性である」と自認している人たちのことを言う。ここで厄介なのは、性別適合手術を受けていないトランスジェンダー女性でも、これらの権利を認めるべきだという訴えがあることだ。

トランスジェンダーは弱者である。弱者の権利は保障されなければならない。このロジックで言えば、みずからを女性と自認するトランスジェンダー女性は、女子競技への参加や女子トイレ使用の権利を認められなければならない。

しかしシス女性（性自認と生まれ持った性が一致している女性）からは、反論が出ている。当たり前のことだ。元男性で筋力など運動能力が非常に高いトランス女性が女子競技に出れば、運動能力に劣るシス女性は入賞できなくなってしまう。男性器をつけたままの見知らぬ人といっしょに風呂に入ってもいいと思う女性も多くはないだろう。

このように「どちらが弱者なのか?」という話は、社会のいたるところに点在している。「だれが弱者か」を固定的に決めつけてしまうのは、問題が多いのだ。

かといって、ここで「弱者ランキング」を作成して比較するようなことも、意味はない。そんなランキングは、歪んだヒエラルキー意識を社会に持ち込むだけだからである。トランスジェンダーはある場面では弱者であり、別の場面では強者にもなり得る。そういう理解が最も公正なのではないだろうか。

「弱者」が「強者」に転じるとき

二〇一三年に、とある生活保護家庭の家計についての記事が朝日新聞に出た。「貧困となりあわせ」という見出しの記事で、家計はこう紹介されている。四十一歳の母が十四歳の長女と十一歳の長男を育てる母子家庭。受給している生活保護の額は毎月二十九万円。その使い道の内訳も掲載されており、習い事などの娯楽費に四万円、衣類代に二万円、携帯電話代に二万六千円、固定電話代に二千円。

この記事がネットに出まわると、批判が殺到した。「私の給料より多い」「なんで毎月二万円も服が買えるんだ」などの声がたくさん聞かれた。

それぞれの家庭にはさまざまな事情があり、この家のお金の使い道が妥当かどうかは簡単に決めつけられることではない。しかし、この炎上ケースから見えてくるのは、「生活保護の母子家庭＝弱者」「会社員＝強者」という二十世紀的な構図が崩れてきており、ブラック労働で給与も減っている一般労働者のほうが、生活保護家庭よりも悲惨な生活を強いられていることだってある、ということだ。

二〇二一年、車椅子の女性がＪＲの無人駅に行こうとしたところ、ＪＲから「乗車拒否」にあったとブログで訴えたことがあった。バリアフリーな社会を目指すのは当然だし、車椅子の女性が弱者であるのは間違いない。しかし彼女のブログは、ＪＲの駅員にかなり強硬な調子で対応を求めているように受けとれ、またマスコミの力を借りてＪＲを糾弾する対応を用意していることも書かれていた。この結果、ブログは炎上して彼女は批判を浴びることになった。

車椅子の女性と、巨大企業のＪＲをくらべれば、女性のほうが弱者であるのは間違いない。しかしインターネットでの反応を見ていると、「巨大企業のＪＲ」というよりも実際に鉄道の仕事にたずさわっている駅員さんに同情する声が目立っていた。「エッセンシャルワーカーとしてたいへんな労働を強いられている駅員さんと、マスコミをバックに駅員さんを強く叱りつける女性」という構図になっていたのである。

すべての無人駅にエレベーターを設置するなどの対応をＪＲは求められるが、それを決定するのは経営者や役員であって、末端の駅員さんたちではない。ＪＲは強者だが、駅員さんたちは強者ではなく、乗客からのいわれなき非難や暴力にも日々さらされて苦労している弱者なのである。

このように弱者か強者かというのは、その都度の場面によって、関係によって、コロコロと変わる。

だから大切なのは「弱者だから大切にせよ」「強者だから非難されて当然」と最初から決めつけてしまうことではない。弱者と強者が混じり合って存在し、つねに立場が入れ替わってしまうような社会で、その都度バランス良く「何が公正か」を判断していくことなのである。

「こぼれ落ちている弱者はいないか」「弱者が転じて強者となって、逆に抑圧を生んでいないか」ということを、わたしたちはつねに振り返り続けなければならないのだ。

しかし二十世紀の価値観から抜け出せない新聞やテレビ、そして一部の社会運動は、いまも「絶対的な弱者」観に頼り、「新しい弱者」に目配りできないままでいる。社会に対する観察の射程があまりにも短すぎるのではないか。

「物価高＝悪」のステレオタイプ

狂乱物価の時代とバブル経済の悪弊

かつて「物価高」はとんでもない悪だった。

たとえば一九七〇年代には、「狂乱物価」と呼ばれた騒動があった。狂乱物価の原因になったのは、ロッキード事件で逮捕されたことで有名な田中角栄元首相と、石油ショックの二つである。

一九七二年に首相に就任した田中角栄は、大ベストセラーになった『日本列島改造論』（日刊工業新聞社、一九七二年）という本で、全国にダムや橋、道路などのインフラを整備しまくることをぶち上げた。大がかりな財政出動をし、それにともなう土地投機ブームもあって、地価も株価も急騰した。

さらに翌年の一九七三年には、イスラエルとアラブ諸国が戦った中東戦争のあおりで原油の価格が引き上げられ、これが物価高騰をさらに後押ししてたいへんなインフレとなった。消費者物価指数は一九七三年に一一パーセント、七四年には二三パーセント上昇という猛烈なスピードである。まさに「狂乱」だったのである。

一九七〇年代のこの狂乱物価は、あまりにも強烈だった。だから新聞やテレビは少しでも物価が上がると、大騒ぎするようになったのである。

この十数年後には、あのバブル経済がやってきて、地価や株価はふたたび高騰する。しかしバブル期には、消費者物価指数は実はあまり上昇していない。わずか二パーセント台ぐらいの上昇だったのである。しかし物価高にやたらと敏感になっていたマスコミは、物価がちょっとでも上がるたびに大きく報道した。

バブル末期の一九九〇年には、毎日新聞がこんな記事を書いている。


〈二十六日発表された消費者物価総合指数によると、大阪の先月半ばから一カ月の物価上昇はなんと、昨年一年分に匹敵。上げ幅が最も大きかったのは野菜。台風の影響で、当分、下がりそうもなく、台所を預かる主婦らはアップ、アップ。灯油にガソリンと続く値上げパンチに「石油はもう値下がりし始めているはず、上がりは早くて下がりは遅い」と消費者の不満は爆発寸前だ。〉

「主婦らはアップ、アップ」という表現が実に古くさい。しかし、このすぐあとには長い不況とデフレの時代がやってきて、物価は下がっていく。

消費者物価指数よりも、ランチの定食や弁当の値段で振り返ってみたほうがわかりやすく、この間の物価の変化が理解しやすいかもしれない。わたしの個人的な経験では、大学生だった一九八〇年代前半は、東京の私鉄沿線にあるような庶民的な食堂で出される定食は、だいたい五百円台だった。お店で買うお弁当も三百円から五百円ぐらい。

それが一九八〇年代末のバブル期になってくると、食事の値段は上がっていく。都心のレストランのランチともなると千五百円以上になり、その頃広まってきていたオフィス宅配の弁当も、千三百円ぐらいにはなっていた。

しかし平成の不況に突入してからは、ランチの値段はどんどん下がっていく。いまでは、ランチの定食も弁当も五百円台ぐらいになってしまっている。つまりわたしが学生だった四十年前の値段に、逆戻りしてしまったのだ。

悪循環「デフレスパイラル」

マクドナルドのハンバーガーの値段の推移も見ておこう。マクドナルドが日本に上陸したのは一九七一年で、このときハンバーガーは八十円だった。そこから百円、百五十円、百八十円とだんだん上がっていき、バブル前夜の一九八五年には二百十円になっていた。ここからバブル期をはさんで、ずっと二百十円である。

平成不況になると、飲食業界は「デフレ価格」を打ち出して安売り戦略に出ることになる。給料が上がらないから、「生活応援」と称して安い値段で食事を提供する戦略に出たのだ。そのかわりに従業員の給料などさまざまなコストを思いきって削減したわけだ。従業員はイコール消費者でもあるわけだから、皆ますます高いモノには手を出さなくなり、結果としてそれに合わせてまた値段が下げられ……という悪循環が続いていった。これが悪名高い「デフレスパイラル」である。

マクドナルドはまさにその戦略をとった企業だった。平成不況さなかの二〇〇〇年に、ハンバーガーの値段を六十五円にまで下げた。その後、八十円から百円前後を行ったり来たりしながら、デフレ戦略は二〇一〇年代まで続くことになる。

二〇二三年にはウクライナ侵攻やコロナ禍にともなう原材料高でハンバーガーの値段は揺り戻し、百七十円まで上がった。「ちょっと前まで百円ぐらいだったのに、高すぎる」という悲鳴がネットでも上がったが、四十年近く前は二百十円だったことをみんな忘れている。一九八〇年代よりも、いまのほうがまだ値段が安いのだ。

これがデフレである。

いまだに「物価高は悪！」と刷り込まれたように思い込んでいる人は多い。だから物価が上がらない平成デフレ時代に「安い、安い」と大騒ぎし、「こんなに安い食事ができる！」「格安のこんな商品が登場した！」と紹介しまくった。

しかし価格を下げるためには、売っている企業の側がさまざまなコストを削らなければ成り立たない。原材料のコストを削れば、その原材料をつくっている農業や漁業の人の儲けが減る。人件費を削れば、当たり前だが従業員の給料が減る。農家さんも漁師さんも従業員も「コスト」の一部だが、彼らは同時に別のところでモノを買ってくれる消費者でもある。収入が減れば、モノは買えなくなる。そこで企業はさらに値段を下げて勝負することになる。そのためにはコストを下げなければならず……と、この繰り返しで物価は下がり、給料も減って、だれもモノを買わなくなり、そうして経済が衰退していった。

これがデフレの怖さである。

実態の景気回復と、マインドの景気回復の両輪

では、政治はこれを放置していたのだろうか。

デフレを退治しようとしたのは、安倍政権である。平成の長い不況の果ての二〇一〇年代、故安倍晋三首相はアベノミクスという経済政策をスタートさせた。これは「大胆な金融政策」「機動的な財政政策」「成長戦略」の三本の矢からなっていたのだが、このうちうまくいったのは一本目の「大胆な金融政策」だけである。これは金融を思いきって緩和し、異次元なほどにお金を刷りまくって、市中にお金をあふれさせることで、無理やりにでも

インフレを起こさせようというものだった。

インフレになって物価が上がれば、企業が利益を上乗せできるようになる。そうすれば、その会社の従業員の給料も上げられる余裕ができるかもしれない。もちろん、企業が利益を出したからといって、必ずしも給料が増えるわけではない。将来の不況に備えて、内部留保として貯め込んでしまうかもしれない。とはいえ、会社の利益が増えなければ給料が増えることは絶対にない。

このあたりは「マインド」の問題である。企業が「いまはインフレになりつつあるし、景気が良くなっていく兆《きざ》しかも」と期待するようになれば、内部留保として利益を貯め込まず、より良い人材を獲得するため給料を増やしたり、技術開発に積極的に投資したりするようになる。そうすればお金がいままでよりもまわるようになって、景気は本当に良くなる。

実態としての景気回復と、マインドとしての景気回復は、クルマの両輪のようなものなのだ。マインドが上向かなければ、実態の景気は回復しない。実態の景気が回復しそうな気配が出てくれれば、マインドも回復してくる。ニワトリと卵である。

アベノミクスの残り二つの矢、「財政政策」と「成長戦略」はあまりうまくいかなかったけれども、一つめの矢の「金融政策」はそこそこうまくいった。景気はまあまあ回復し、おかげで大学生の就職率もいちじるしく改善した。若者の自民党支持率が高いのは、就職活動がうまくいくようになったからでは、というのはよく言われたところである。

このデフレとインフレの関係は初歩的な経済の話だが、ツイッターの投稿などを見ていると、いまだに理解できていない人がけっこう多い。いまも半世紀も前の一九七〇年代の狂乱物価の時代の「気分」を引きずっているのだろうか。そういえば二〇一七年にヤマト運輸が宅配便の値上げを発表した際、ラジオを聴いていたら著名なパーソナリティが「これは庶民の生活を直撃ですねえ」と深刻な口調で言っていて、のけぞってしまったことがあった。こういう古風なステレオタイプな人が、マスコミには本当に多いのである。

監視社会は「悪のビッグブラザー」ではない

個人情報を取られると自由はなくなるのか

マイナンバーカードや監視カメラ、特定秘密保護法など、ちょっとでもプライバシーに触れるような技術や法整備の話が出るたびに、マスコミは「監視社会は危険」論を声高に言い出す。

「個人情報が政府に筒抜けになって危険だ！」
「国民は監視されていることを恐れて自主規制し、自由がなくなる」
「プライバシーが政府にばれたら、反権力だと思われて圧力をかけられるかも」

念のために言っておくが、そういう懸念はけっして「ゼロ」ではない。たとえばアメリカでは、エドワード・スノーデンが暴露したことで有名な「プリズム」というインターネットの監視システムや、世界中の無線通信を傍受している「エシュロン」というシステムがある。日本でも、公安警察や公安調査庁が監視対象の人物の個人情報を収集している。しかしだからといって、政府や企業が個人情報を取得することを全部一緒くたにして「監視社会だ！」と叫ぶというのは、あまりにステレオタイプである。わたしたちはそういう古くさい批判から脱却して、バランス感覚のある考え方を持たなければならない。

では、どのようなバランス感覚が必要なのだろうか。論点として以下の三つを挙げよう。


第一に、監視することは、平等な社会をつくることにもつながる。

第二に、監視することが、公正さを保つ助けにもなる。

第三に、監視することが、テクノロジーを後押しすることもある。


以下、三点それぞれについて見ていこう。

マイナンバーカードに至る監視社会反対の歴史

まず、第一の「平等な社会」について。

題材にするのはマイナンバーである。ポイントの大盤振る舞いなど政府の必死のキャンペーンによって、いまようやく普及してきたマイナンバーカードは、「監視社会反対」の人々から目の敵にされている。しかし歴史を振り返ってみれば、マイナンバーやマイナンバーカードへのそういう批判は実に的外れであることがわかる。

掘り起こしてみよう。マイナンバーのように国民全員に識別番号を持たせるという構想は、実はものすごく歴史が古い。いまから半世紀以上も前、一九六〇年代の終わりにまでさかのぼるのだ。当時の佐藤栄作政権が検討したのが最初である。「統一個人コード」と呼ばれたこの識別番号の目的は、ただひとつだった。それは「株式や預金の利子などで得た収入を税務署が把握するため」である。

たとえば、個人事業主がどこかの会社と仕事をして収入を得たとしよう。発注元の会社が申告するので、その個人事業主の収入も税務署に把握される。しかし、その個人事業主が複数の銀行口座や株式口座を持っていると、税務署は収入や資産の全容が把握できない。本腰を入れて税務調査をすれば調べることはできるが、人手と時間と予算がかかるので、すべての人を調査できるわけではない。

特に問題になったのは「マル優」で、ひとり九百万円までの貯蓄は非課税になるという制度である。戦後の家庭の貯蓄率を押し上げる功績はあったとは言われているが、お金持ちが家族や親戚の名前を使って口座をつくり、資産を分散させて税金を逃れるという悪い手口が横行していた。マイナス金利の現在から見ると夢のようだが、当時は銀行にお金を預けると年に四パーセントぐらいの利回りがあったから、九百万円でも年間三十六万円もの利息がついたのである。お金持ちは銀行口座に分散して預けているだけでも、利子でお金をどんどん増やすことができた。ちなみに、このマル優はさすがにまずいというので一九八七年には「六十五歳以上」という制限がつき、二〇〇三年からは障がい者などに限定するようになっている。

こうしたお金持ちの「隠れ資産」は不平等である。これを許さないためには、だれがどこに口座を持っているのかを国が把握できるようにしたほうがいい。そこで一九八〇年にはついに、グリーンカードという制度をつくった。名前は似ているが、アメリカの永住権のことではない。日本の所得税法を改正して、国民全員に番号を付与するというものだった。

この法改正は国会も通過し、あとは施行されるのを待つはずだったのだが……なんと施行は延期となり、ついには改正法そのものが廃止になってしまっている。いったん通った法律が潰されるという異常な事態である。

その背景には、銀行や中小企業をバックにした政治家たちの暗躍があったと言われている。資産を分散させて隠し持っている中小企業の社長たちが怒り、彼らが資産を預けている銀行をも巻き込んで政治家に圧力をかけ、法律を潰しに走ったのだとされている。

ここで面白いのは、グリーンカードに主に反対したのは読売新聞や日本経済新聞。つまり、どちらかと言えば保守系の新聞であり、左派系（当時は左派やリベラルではなく「革新」という呼び名だったが）の朝日新聞や毎日新聞は、グリーンカードには賛成していた。なぜならグリーンカードが普及すれば税負担が公平になり、庶民にとっては良いことだという論調だったのである。

ジョージ・オーウェル『1984年』の刷り込み

ところがこの「左派は国民番号に賛成、右派は反対」という構図は、一九九〇年代ぐらいになるとなぜかひっくり返ってしまう。二〇〇二年にマイナンバーの前身のような住基ネット（住民基本台帳ネットワーク）という制度がつくられたのだが、これに左派系の新聞や市民運動が猛烈に反対したのだ。

住基ネットは住民票のデータを、自治体や国をむすぶコンピューターネットワークで共有しようというものだった。健康保険や年金、児童手当、選挙権、印鑑登録など生活のさまざまな行政サービスをひとつにまとめて、生活を便利にしようというものだった。

この住基ネットで共有されるデータは、国民に割り振られた住民票のコードと、氏名・生年月日・性別・住所という四つのデータを全国の自治体や国で共有することで、どこでも本人確認ができるようにしようというものだった。流出する危険が新聞やテレビでさんざん指摘されたが、クレジットカード番号などプライバシーな情報が扱われるわけでもない。仮に住所や名前が流出したとしても、それが実害につながることは考えにくい。

それなのに、なぜこれに左派が猛烈に反対したのか。

この問題を当時取材していたわたしの認識は、以下のようなものである。

一つめに、一九八〇年代から九〇年代にかけて「反・監視社会ブーム」のようなものが起きていたこと。

きっかけになったのは、ジョージ・オーウェルの小説『1984年』（邦訳版は現在、ハヤカワ文庫、角川文庫）である。刊行されたのは一九四九年だが、小説の舞台になっている一九八四年の未来がまさにやってきたというので八〇年代にブームになり、「国民を監視して思考改造をする独裁者ビッグブラザー」という内容がわかりやすかったこともあって、ちょっとでも監視社会っぽい話題になるとすぐに「それはビッグブラザーだ！」とメディアが騒いだりするようになった。単なるブームに乗っただけのステレオタイプだが、このビッグブラザーブームに標的にされてしまったのが住基ネットだったのである。

二つめに、それまでの国民番号制度の議論とは違って、住基ネットでは初めてコンピュータースネットワークが利用されたという点。

これは本書七ページでも触れたように、戦後日本はテクノロジーで驚異的な経済成長を成し遂げたのにもかかわらず、二十世紀の終わり頃にもなるとテクノフォビア（テクノロジー恐怖症）が蔓延するようになった。現在でもわたしがＡＩなどの最新テクノロジーの話をテレビやイベントなどですると、すぐに「怖い、怖い」とみんなが言いたがる。まるで幽霊や怪異を怖がるようにして、テクノロジーに恐怖を感じているのである。だから、住基ネットも「自分たちのプライバシーが機械に呑み込まれる！」と根拠のない恐怖を感じてしまったのではないだろうか。

マイナンバーの実利に目を向けよ

テクノフォビアからは、もうそろそろ脱却すべきである。そもそもテクノロジーの進化は決して後退することはない。もしテクノロジーが失われるとしたら、それはわたしたちの文明が滅びるときである。古代ローマには、水道システムやコンクリート建築などその後の中世世界には存在しなかったさまざまな先端テクノロジーがあったが、ローマ帝国が滅びたことによってそれらのテクノロジーは失われた。そういうことが現代文明に今後起きない限り、テクノロジーの後退はない。

だったら、テクノロジーを活用して社会をより良くしていくことを考えたほうがいいのに決まっている。そもそもテクノフォビアが蔓延してしまったことが、平成三十年間の経

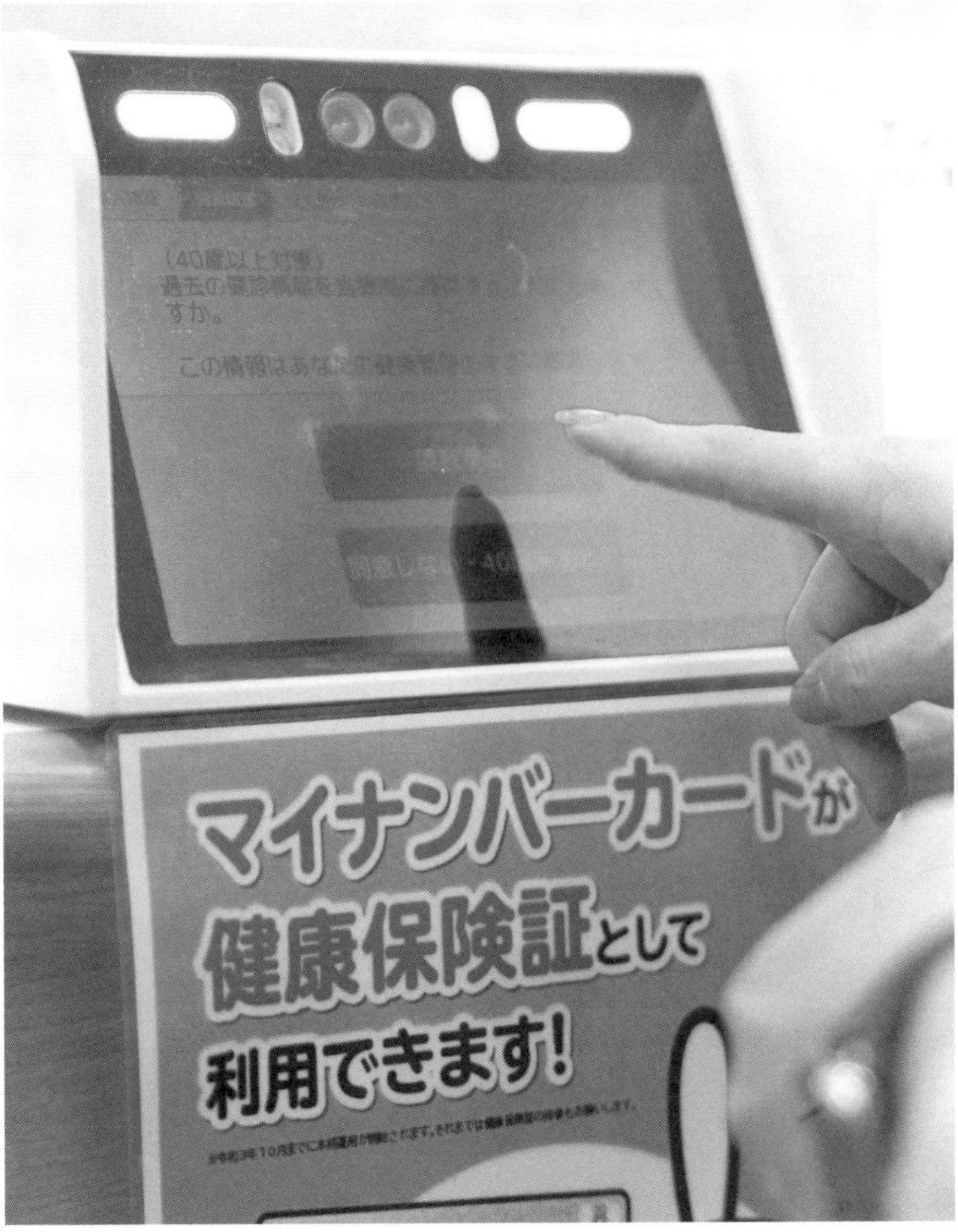

マイナンバー制度を「国家による監視」と受けとめるテクノフォビアが、この社会の停滞を招いてしまう。社会を良くする実利に目を向けるべきだ。

済停滞を招く要因のひとつだったのではないだろうか。

二〇一五年から、日本政府はようやくマイナンバー制度を開始している。ついに国民番号制度が全面的に実現しようとしている。これも「国家による監視だ！」とマスコミは騒ぎ、使える用途が現状では限られていることや発行申請の手続きが面倒なことなどもあって、遅々として普及は進まなかった。

しかし二〇二〇年からの新型コロナウイルスによるパンデミックで、マイナンバー制度が実は必要だったのだ、と感じる場面が出てきた。

国民ひとりひとり、全員に等しく給付金を配ったりワクチンを接種するには、全員がIDを持っているマイナンバー制度があれば非常にスムーズなはずだと理解されるようになったのである。コロナ禍ではマイナンバーが普及していなかったため、日本政府が給付金を直接配ったりワクチンを接種することができなかった。かわりに住民全員の住民票の台帳を持っている自治体ごとに実施するしかなく、これがただでさえ感染症対策で忙しかった自治体の負担を非常に重くしてしまったのである。

マイナンバーのような国民IDがあれば、社会保障の不公平感も解消できる。

たとえばいまの高齢者は、少ない負担で豊かな年金を受給している。若い世代になればなるほど、低い支給額なのに大きな負担を強いられる構図である。これは昭和の時代、若者がたくさんいて高齢者が少なかった頃に「たくさんの若者のお金で少ない高齢者の老後を支えればいい」という発想で設計されているからだ。しかし、少子高齢化社会で高齢者と若者の数が逆転してしまっているいまは、どう考えてもおかしい。

しかし高齢者への支給額を減らすことには、猛反発が出るだろう。高齢者の人口が多いので、政治もそっちに目が向いてしまっているのを「シルバー民主主義」というが、こういう現状では制度を変えるのは難しい。

そして新聞やテレビはさかんに「ただでさえ生活が苦しいのに、年金が減るなんて……死ぬしかない」といった高齢の人の切実な声を報じる。こういう声を無視することはできないだろう。

しかしマイナンバーが今後、金融資産と年金受給額を紐づけて政府が把握できるようになったら、どうなるだろう。「生活が苦しい、年金を減らさないで」と言っている人が、実は一千万円以上の銀行預金があるなどというケースも見えてくるかもしれない。政府が新しい方針として「金融資産と現収入の合計で、年金支給額を決めます」と打ち出せば、さすがのマスコミも反論しにくくなるのではないだろうか。

マイナンバーには、社会を良くしてくれるこういう実利がある。

そして、このような制度を「ビッグブラザーだ！」「国民を監視している！」と大騒ぎするのももうやめたほうがいい。監視は国民をただ縛り付けるためのものとは限らない。ちゃんと実利もあり、社会にとって良い面もあるのだ。

ドライブレコーダーは監視ではないのか

第二の論点に移ろう。監視は、公正さを保つ助けにもなる。

それをわかりやすく体現しているのが、最近普及してきたクルマのドライブレコーダー（ドラレコ）だ。

ドラレコが普及したのは、「乱暴なあおり運転をする人たち」が一定数いるというのが社会に知られるようになったからだ。車間距離をグイグイと詰めてきたり、前方にまわり込んで急ブレーキをかけてみたり、クラクションを鳴らしたりといった行為をする乱暴者たちが車道には存在するのである。彼らに対抗するため、そうした行為の自動記録をしておき、警察に証拠として提出できるドラレコが注目されるようになった。

あおり運転だけでなく、交通事故が起きたときにもドラレコは活用されている。交差点の衝突事故で、「どちらの信号が青だったか」ということで言い分が食い違ってしまうような場合、ドラレコは自分の正しさを証明してくれるのだ。

ドラレコに「監視社会だ」と怒る人はほとんどいないだろう。しかしドラレコも立派な「監視」である。古くさい「監視社会」論者は、この現代的な監視に説明をつけられるのだろうか。

第三の論点。監視することが、テクノロジーを後押しすることもある。

二十一世紀のテクノロジーにとって最も重要な要素は、ＡＩ（人工知能）である。そしてＡＩが進化するためには、データがたくさんあることが必要である。

たとえば、二〇二二年末から二三年にかけて爆発的な進化を遂げたＡＩの分野に、ジェネレーティブ（生成型）と呼ばれるものがある。チャットＧＰＴのような対話型ＡＩや、ステイブル・ディフュージョンのような画像生成ＡＩがそうだ。これらが劇的に進化したのは、それまでのＡＩが限定したデータをもとに訓練していたのに対し、インターネット全体をくまなくまわって収集した巨大なデータで訓練したからである。単純に言ってしまえば、データは多ければ多いほどいいのだ。

しかし大量のデータを集めようとすると、どうしても個人のプライバシーにまで踏み込んでしまうことがある。わたしたちがフェイスブック・メッセンジャーやＬＩＮＥで家族や友人とやりとりしている文面を集めてＡＩで分析すれば、わたしたちのコミュニケーションの特徴や傾向が収集でき、人とＡＩがより親密なやりとりをする助けになるだろう。しかし、このようなプライバシーの収集には気持ち悪いと感じ、反発する人も出てくるだろう。

難しいのは、ここである。監視に反対しすぎると、ＡＩのテクノロジーが進化しなくなってしまうのだ。「そんなことまでしてＡＩを進化させる必要はない！」と顔を真っ赤にして怒る人もいそうだが、ことはそう単純ではない。なぜなら中国政府のように個人のプライバシーなど気にしていない国ではＡＩ研究で自由にデータを集めまくることができ、そうすると中国のＡＩだけが素晴らしく進化していくということになりかねないからだ。

ＡＩが信じられないぐらいに進化している中国と、その進化についていけない日米欧などの西側諸国——そういう構図になってもいいのだろうか？　ただでさえ強権国家・中国の軍事的な拡張は懸念されている。そこにＡＩのテクノロジーのバックグラウンドが加われば、強大なアメリカでさえも勝てなくなる日が来るかもしれない。それは恐ろしい未来ではないだろうか。

日本経済新聞は「ＡＩ規制に漂う『全体主義の亡霊』　自由な研究妨げも」（二〇二一年六月十七日）という記事で、山田誠二・国立情報学研究所教授のコメントを掲載している。

〈「AIを社会に導入することに危機感があるのはわかる。しかし、あまり厳しくしすぎると、技術が育たなくなる。企業活動を制約せずに、後押しするルールにすべきだ」〉

まったくその通りだとわたしも思う。

なぜ在外邦人は「上から目線」で日本を語るのか

「欧米を見習え」という思考の転換点

「出羽守《でわのかみ》」というネットのスラングがある。欧米に在住している日本人が、たとえば「フランスでは○○なのに、日本は全然ダメだ」「スウェーデンではこんなに素晴らしいことが行われているのに、日本人はなってない」など、「欧米では」という論法で日本を批判することに対して、ウンザリした日本人が「何にでも『では』ばかりつけて語っている」と名づけたのである。

日本は明治時代以降ずっと、資本主義と民主主義の先進地域である欧米を見習い、その背中を追いかけてきた。太平洋戦争が終わってからもその構図は変わらず、前世紀までは「とにかく欧米を見習え」というスローガンが多くの場面で成立してきたのは間違いない。

しかし二十一世紀に入る頃から、欧米という文明のありようそのものが転換点に差しかかっている。さまざまな背景があるが、ここではポイントを三つに絞ろう。

第一に、中国の台頭。

第二に、多文化主義の限界。

第三に、新型コロナ禍での欧米の体たらく。


まず第一の「中国の台頭」。

欧米を中心としたリベラルな国際秩序は、いま危機に瀕《ひん》している。テロの多発や強権国家の増加などさまざまなことが起きているが、その中でも最も重要かつ問題のあるできごとは、中国の台頭である。

中国は強権国家であり、自由な民主主義国ではない。同時に、圧倒的な経済大国でもある。かつては貧しかったが、一九八〇年代の鄧小平国家主席の改革開放以来、驚異的な経済成長を成し遂げてきた。

この間、欧米の言論人は「経済成長には民主主義が欠かせない。中国はいずれ成長できなくなるだろう」と言い続けてきた。しかし現実には、途中何度かの踊り場はあったものの、いまだに成長は続いており、GDP世界第一位のアメリカを抜くのも目前になっている。

欧米の言論人が「経済成長には民主主義が欠かせない」という論調を堅持するのは、それが欧米という文明の根幹の思想になっているからである。十九世紀末から二十世紀にかけてアジアやアフリカに帝国主義的な侵略を行い、ヨーロッパは多くの国を植民地にした。そのひどい行為を正当化するため、「遅れているアジア・アフリカを植民地にし民主主義を定着させることによって、経済成長の基盤をつくる」という論理を押し出したのである。

だから民主主義ではない中国のような国が経済成長を持続させてしまうと、かつての帝国主義の論理が破たんしてしまい、欧米が近代にやってきたことの根幹が揺らいでしまうという重大な問題をはらんでいるのだ。

極右化、コロナ禍失策でも欧米は素晴らしいのか

第二の「多文化主義の限界」。

多文化主義というのは、さまざまな人種や民族がそれぞれのアイデンティティを保ちながらも、たがいに容認して共存して生きていこうという姿勢で、二十世紀に旧植民地などから多くの移民を受け入れてきたヨーロッパの基調になってきた。

しかしイスラム圏からの移民・難民の流入が増えていくのにしたがって、この多文化主義は大きな壁にぶつかる。そうなってしまったのは、イスラム教が政治と宗教を分離していない考え方を採っているからだ。しかしヨーロッパは、政治と宗教を分離することでか

つてのキリスト教会の支配から脱し、民主主義を実現してきたという歴史的背景がある。フランスが典型的だが、政治と宗教を完全に分離する「ライシテ」という原則を持っており、公共的な場所では宗教的なものはまとわないというルールを敷いている。しかしこれはイスラムの考えとは衝突し、一九八九年にはフランスはイスラムの子どもがベールをかぶっていたことから退学処分になり、二〇〇四年には着用を禁止する法律が公布されるまでになった。これは多文化主義の限界を示す大きな転換点になったと言われている。

近年のシリアやアフガニスタン、イラクなどの政情不安定化によって、イスラム圏からの移民・難民の流入はさらに増え、ヨーロッパ各国での軋轢《あつれき》は高まっている。リベラルで自由な国々と思われていた北欧でも、難民に強硬な姿勢をとる極右の政党が伸びるという事態になっている。

日本ではこれまで何かと「北欧を見習え」「北欧の社会が理想」というような「出羽守」論がさかんにもてはやされてきたのだが、北欧が極右化しても、そういう憧れを持ち続けるのだろうか。

第三の、「新型コロナ禍」。

自由と人権をうたった欧米では、自由に行動したがゆえにコロナ感染者が激増し、結果として逆に自由を制限する強力な都市封鎖（ロックダウン）を行わざるを得なかった。マスクも人権侵害であると否定する人が少なくなく、これがワクチン接種が進む中でも感染者をふたたび増やす要因になった。

いっぽうで日本は、ロックダウンのような私権制限は行わなかった。要請と自粛だけでコロナ禍を乗り切ってしまったのである。「世間の空気の圧力」という面もあるが、少なくとも強硬的な手段が採られなかったことは褒めてもいいのではないだろうか。

しかし「出羽守」な在外邦人たちは、この体たらくでも欧米をあいかわらず賞賛し、日本のコロナ対策を批判する人がたくさん現れた。

たとえば、プレジデント・オンラインが掲載した『「感染者4万人でもマスクなしが当たり前」イギリス人の生活がコロナ前に戻りつつあるワケ』（二〇二一年十月二十五日）という記事では、イギリス在住のライターが、コロナ禍真っ最中でもマスクをしない人が多かった英国を「自分で責任を取る成熟したイギリス社会」と賞賛し、ほとんどの人がマスクを着用している日本を「人の言うことに陰で文句を言いながらも、表立っては従ってしまうのは、自分の責任を放棄し、他人におもねり、自由を犠牲にすることにつながる」と批判した。

しかし当時のイギリスでは、毎日四万人もの感染者が出て、死者はその時点で累計で十四万人を超えていた。いっぽうでイギリスの二倍近い人口の日本では、感染者は一日に数百人で、累計死者は二万人に満たない程度だった。その数字でもなおイギリスを賞賛しようとしたのは、いったいどういう心持ちなのだろうか。

こういう光景は、コロナ禍のあいだに何度となく見かけた。感染爆発していた米ニューヨーク州のアンドリュー・クオモ前州知事を称揚する在米邦人が多かったのもそうだ。クオモ知事がその後、死者数隠蔽とセクハラというダブル疑惑で追及されるようになったのは、なんとも皮肉としか言いようがない結末である。

もちろん、ここで日本は素晴らしいなどと高らかに言うつもりはない。日本社会にも批判されるべきところはたくさんある。しかし、ここまで述べてきたように欧米を引き合いにして比較するのはもはや「無理筋」が多すぎる。それなのに、なぜこれほどまでに「欧米では」と言いつのり、日本を批判する在外邦人があとを絶たないのだろうか。

アングロサクソン白人と、それ以外の白人と黒人

この不思議について、わたしは二〇一二年の著書『「当事者」の時代』（光文社新書）で分析したことがある。同書で書いた内容に沿って説明していこう。

アメリカで十九世紀から二十世紀初頭にかけて流行したミンストレルショーという娯楽があった。顔を黒塗りにした白人が、ステージの上で歌や踊りやコントを披露するというものである。一八三〇年代に人気を集めたミュージカルのキャラクター「ジム・クロウ」

が発祥だとされている。障がいのある黒人の動きを真似て、くねくねと全身の動きを誇張した歌とダンスで人気を博したという。いまなら一発でアウトな差別的な芸である。クロウの人気に触発されてたくさんの芸人が参入し、いろいろな「黒人キャラ」がつくられた。キャラ設定もストーリーも単純そのもので、「黒人奴隷たちはみな純粋無垢で、白人のあるじのもとで幸せに暮らしている。それに対して奴隷制度廃止を訴える連中は、卑劣な偽善者や臆病者だ」というようなものだった。現代から見ると驚くべき設定だが、アメリカで奴隷制度が廃止される前のことである。

黒人の側から見ると、ミンストレルショーはとんでもない娯楽だったろう。『**アメリカ音楽史　ミンストレル・ショウ、ブルースからヒップホップまで**』（大和田俊之著、講談社選書メチエ、二〇一一年）という本によると、当時の黒人リーダーだったフレデリック・ダグラスはこんな言葉を遺しているという。

〈彼らは白人社会の汚れたクズのような存在であり、生まれつき与えられていない皮膚の色を金儲けのために我々から盗み、白人の仲間たちの堕落した趣味に媚びている。〉

かなり激烈である。

では白人には、ミンストレルショーはどのような意味を持っていたのだろうか。

実はここで、たいへん興味深いポイントがある。それはミンストレルショーに出演していたニセの黒人、つまり「黒塗り白人」の多くはアイルランド系やユダヤ系、ロシア系などの移民が多かったということである。

アメリカは移民の国と昔から言われている。しかし同じ白人移民でも、建国の初期にイギリスから入植してきたアングロサクソン系がアメリカ社会の中心として君臨したのに対し、あとからやってきたアイルランド系やイタリア系、ユダヤ系、ロシア系などは「新参者」であり、アメリカ白人社会の中でも差別される側だった。たとえばアイルランド系移民はカトリック教徒が多く、プロテスタントのアングロサクソンからは異端と思われていた。くわえて「粗暴な人たち」「迷信深く怠惰で無知」など侮蔑的に見られていた。

アイルランド系のあとにやってきた大量のユダヤ系移民への差別は、さらにひどかった。十九世紀終わり頃には「ユダヤ抑圧協会」という恐ろしい名前の団体が設立され、ユダヤ人を公職に選出しないことや、ユダヤ人のミュージシャンや俳優が出る劇場をボイコットすることが決議されたなどという話もある。自動車王のヘンリー・フォードも反ユダヤの急先鋒として有名で、新聞社を買収して激しいユダヤ攻撃記事をさかんに書かせた。

「ジャズはユダヤ人の国際的陰謀である」

「短いスカートもユダヤ人の陰謀」

「ロシア革命もユダヤ金融資本の計画」
陰謀論まっしぐらである。

このように当時のアメリカ社会は「白人と黒人」という差別の構図だけでなく、「アングロサクソン白人と、それ以外の白人と黒人」という少なくとも三段階の差別があったことがわかる。アイルランド系やユダヤ系は黒人よりは上だが、アングロサクソン系よりも下だったのである。

「自分たちは白人」と思っている在外邦人

ここにミンストレルショーの秘密がある。

実はミンストレルショーは、アイルランド系やユダヤ系など遅れてやってきた白人の移民たちが、自分自身のアイデンティティを獲得する場になっていたのである。多様な移民がいた当時のアメリカでは、「白人である」というだけではアイデンティティになりにくい。「白人だけどアイルランド系じゃないか」「白人だけどおまえはアングロサクソンではない」と言われてしまう可能性があったからだ。

しかし、白人は「黒人ではない」という一点については合意できる。「黒人じゃない、みな白人なんだ」ということが主張できれば、黒人という圧倒的な「非白人」の前で白人の中の小さな違い（アイルランド系かユダヤ系かアングロサクソン系か）は無視できてしまうということなのだ。

ミンストレルショーを見ている白人の聴衆たちも、演じる芸人の白人たちも、顔を黒塗りにしているのは「黒人ではない」ということがわかっている。「黒人ではない」という否定によって、逆に「われわれは白人なんだ」という概念を浮かび上がらせる。ミンストレルショーには、そういう心理的な仕掛けがあったのである。

差別される白人たちがニセ黒人に扮することによって、逆に「おれたちも白人の仲間なんだぜ」ということを確認してもらえるようになる。被差別者が、もっと差別されているさらに外部の被差別者に扮することで、差別する側に変化できるのだ。

なぜ被差別者に扮すると、差別する側に立てるのだろうか。先ほどの差別の構図を思い出してほしい。

アングロサクソン系 ＞ アイルランド系 ＞ 黒人

アイルランド系からアングロサクソン系を見れば、自分たちは「下」にいると感じてしまう。黒人よりは「上」だけど、アングロサクソンよりは「下」。せっかく白人に生まれたのに、「上」の白人と同じとは認めてもらえない。

しかしアイルランド系は顔を黒く塗り、黒人に扮することによって、自分の視点を黒人の側に移動させることができる。視点を「最下」に移すのである。

そうすると、黒人という最も「下」から見る「上」は、まるで違って見えてくる。アングロサクソンもアイルランド系も、みな同じように「上」にいる。「上」にいる人たちは「みんな白人」なのだ。

これこそが、黒塗りメイクの最大の意味だった。自分たちがれっきとした白人であり、この白人社会のまぎれもない一員であることを確認するため、あえて彼らアイルランド系・ユダヤ系移民たちは自分の顔を黒く塗り、黒人に扮したのである。

話を「出羽守」に戻そう。ミンストレルショーの構図は、在外邦人の「出羽守」論にも見事に当てはまる。

欧米人　＞　欧米に住む在外邦人　＞　日本に住む土着日本人

こういう差別の構図がある。欧米人がいちばん偉く、日本人は最下層。欧米に住む在外邦人は、欧米人からは差別されているけれども、自分たちは土着の日本人よりも上だと思っている。しかし、この「在外邦人は土着日本人より上」という構図を確定するためには、土着日本人たちに「在外邦人を羨《うらや》ましい」と思ってもらわなければならない。

そこで彼らは、土着日本人の視点から見た欧米社会の素晴らしさという絵を描くのである。

だから在外邦人の書く「出羽守」記事には、なぜか在外邦人である自分たちの存在が見事に欠落している。つねに欧米人と土着日本人を対比させ、「土着日本人から見れば、欧米人は素晴らしい」という論調にあふれている。在外邦人が欧米人から差別されていることが書かれることは滅多になく、欧米人と在外邦人の違いについて言及されることもない。

つまり土着日本人から見て、欧米人と在外邦人は一体であり、どちらも土着日本人よりも素晴らしい、という視点になっているのである。

まさにこれはミンストレルショーの構図ではないか。「出羽守」な在外邦人たちはすなわち、「黒塗り白人」なのである。

第二章 反権力の神話

- 日本に必要なのは「反権力」ではなく「反空気」だ
- 反権力は、なぜカッコ悪くなったのか
- 「批判するなら対案を」ではなく「批判するなら理念も示せ」

日本に必要なのは「反権力」ではなく「反空気」だ

軍部の暴走というステレオタイプ

古い感覚のままの人たちはすぐに「権力が暴走する」「権力の乱用に歯止めをかけなければ」と言いたがる。しかしこの「権力の暴走」とは、いったい何を指して言っているのだろうか。

こういうありがちな「権力批判」の根っ子にあるのは、太平洋戦争だろう。「軍部が暴走して無意味な戦争を引き起こした」というステレオタイプな説明は、書籍にもテレビのドキュメンタリーにも新聞記事にも、いまでもそこらじゅうにあふれているからだ。

しかし「軍部の暴走」というのは本当なのだろうか。

映画監督の伊丹万作が書いた『**戦争責任者の問題**』（初出は『映画春秋』創刊号、一九四六年）という有名な文章がある。終戦の翌年に書かれたものだ。いまでもインターネットの青空文庫で無料で読める。この中の一節が特によく知られている。

〈さて、多くの人が、今度の戦争でだまされていたという。みながみな口を揃えてだまされていたという。私の知っている範囲ではおれがだましたのだといった人間はまだ一人もいない。〉

当時の人々が「だまされた!」と言い出したのには、実は理由がある。終戦の年の暮れに出版された『旋風二十年　解禁昭和裏面史』というベストセラーがネタ元なのである。このベストセラーは、戦中に軍部を取材していた毎日新聞の記者たちが、実は知っていたが表には出せなかった秘密を「暴露」したと宣伝された。満州事変から日中戦争、開戦前の日米交渉、真珠湾攻撃に至るまで、すべてが軍部の陰謀だったと決めつけている内容だ。

本当だろうか。反証として、日本の終戦期の混乱を描いてアメリカのピュリッツァー賞を受賞した歴史学者ジョン・ダワーの『敗北を抱きしめて』(岩波書店、二〇〇一年)という名著を紹介しよう。この本でダワーは、『旋風二十年』をこき下ろしている。

〈それは、深い考察などに煩わされない、じつに屈託のないアプローチをとっていた。日本の侵略行為の本質や、他民族の犠牲などを白日のもとにさらすことにも(南京虐殺は触れられてもいない)、広く「戦争責任」の問題を探ることにも、とくに関心はなかった。既存の資料や、これまで発表されなかった個人的知識だけを主たる材料に、こういう即席の「暴露本」が書けるという事実からは、今自分たちが正義面で糾弾している戦争にメディアが加担していたことについて真剣な自己反省が生まれることはなかった。〉

なんとも痛烈である。新聞は自分たちが戦争を煽ったことをすっかり忘れて、軍部にすべての責任を押しつけているとダワーは痛罵しているのである。「正義面で糾弾している」ということばは、最近のマスコミにもそのまま当てはまるのではないだろうか。

そして「自己反省が生まれることはなかった」のは新聞だけではない。国民も同じだった。そもそも真珠湾攻撃で開戦したとき、多くの国民は快哉《かいさい》を叫んだのである。著名人の日記などからいくつか例を挙げておこう。

中国文学研究者の竹内好。

〈歴史は作られた。世界は一夜にして変貌した。われらは目のあたりそれを見た。感動に打顫《うちふる》えながら、虹のように流れる一すじの光芒の行衛《ゆくえ》を見守った。〉

作家の伊藤整。

〈大東亜戦争直前の重っ苦しさもなくなっている。実にこの戦争はいい、明るい。〉

国を挙げて、こういう受け止め方だったのである。

東條英機はヒトラーではなかった

ところが現代日本の戦争映画には、やたらと反戦思想の登場人物が出てくる。「オレはこの戦争には反対だったんだ……」と独白するのである。戦争末期の敗戦濃厚な頃にはそういうことを言い出す人もいたかもしれないが、真珠湾攻撃のときからずっと反戦だった人というのはかなり少数派だったはずだ。これらの戦争映画には、単に戦後の価値観が投影されているだけなのである。

太平洋戦争は、感動とともに明るく始まった。しかし当初の意気軒昂な進軍はすぐにしぼみ、あっという間に敗色濃厚になっていく。そしてポツダム宣言受諾と終戦。新聞も国民も自分たちが熱狂したことはすっかり忘れ、だれかに責任を押しつけたくなった。そこに『旋風二十年』というちょうど良いタイミングの本が現れ、軍部に責任をなすりつけることにしたのである。

そして「私たちはだまされていた」「私たちはずっと戦争には反対だったのに、みんな軍が悪い」という思い込みだけが膨れ上がり、戦後の日本映画の「オレはずっと戦争には反対だったんだ……」というセリフを生産し続けることになったという構図なのである。

では、軍部の責任ではないとしたら、戦争の責任は本当はだれにあったのだろうか？枢軸国のお仲間だったドイツやイタリアなら、「それはヒトラーとナチスのせい」「ムッソリーニのせい」と言えるかもしれない。日本にはヒトラー、ムッソリーニと並び称される東條英機がいるじゃないか、と言う人もいるだろう。たしかに東條は戦争中に総理大臣と陸軍大臣、陸軍の参謀総長と三つも兼任していた。だから戦争を遂行した独裁者のように思われてしまうのも当然だ。しかし、歴史的事実はそうではない。

名著『失敗の本質』の著書のひとり戸部良一氏は『自壊の病理―日本陸軍の組織分析』（日本経済新聞出版、二〇一七年）という本で、東條英機を分析している。

当時の「軍部」がどのようなものだったのかを、ここで軽く説明したほうがいいだろう。大日本帝国憲法には、「統帥権の独立」というものがあった。統帥権とは、軍をコントロールする力のこと。そしてこの力を持っているのは軍部だけで、総理大臣や内閣などの文民は口を出してはいけないという理念である。

そして軍部にも、内部に二つの力があった。一つは、作戦を練って軍隊を動かす陸軍参謀本部と海軍の軍令部で、この二つを合わせて「統帥部」と呼ばれていた。もう一つは、軍隊の維持管理や給料の支払いなど行政の部分をになう陸軍省と海軍省。これは「軍政」と呼ばれた。

つまり戦争中の日本には、内閣・統帥部・軍政という三つのパワーがあったということである（正確には軍には海軍と陸軍があるのでさらに細かく分かれるが、ここでは単純化するためその話は割愛）。それぞれは独立した力だったので、それぞれが勝手に動いていた。

東條は、内閣・統帥部・軍政のすべてのトップに立っていた。「じゃあやっぱり独裁者じゃないか！」と思われるかもしれないが、実はそうではなかったと戸部氏は書いている。『自壊の病理』によると、東條は内閣と軍の仕事を自分自身の中でも「けじめ」をつけて分けようとしていたという。いつもは首相官邸にいるが、陸軍の仕事をするときは陸相官邸に移るなど徹底していたという。つまり権力を自分に集中させるのではなく、二つのポストを巧みに使い分けることにたいへんな努力をかたむけたということである。戸部氏は〈生真面目ではあったが、きわめて官僚的な方式であった〉と書いている。

軍政と統帥部のあいだでトラブルが起きたときには、自分が判断して決定するのではなく、ひたすら現場の調整にまかせたという。

〈陸海軍を分裂させるかもしれないほど重大な問題ならば、トップの指導者たる自分が直接決定し、分裂を抑え、部下にその決定の実行を命じただろう。だが、東條には、そうした発想はなかった。厳しい対立を招きかねない問題は、部下による調整に委ねようとした。自らの決定を押しつけて軋轢を生じさせることは、できるだけ避けようとしたのである。〉（『自壊の病理』）

まことに日本的な、調整型リーダーと言える。

戦争への道は「空気」が決めた

ガダルカナル島では、こんなエピソードもあったらしい。日本のガダルカナル守備隊はアメリカ軍の猛烈な攻撃を受け、包囲されたまま多くが餓死して凄惨な戦場になった。統帥部はそれでもがむしゃらに作戦の継続を主張する。

東條は統帥部の主張に反して、守備隊を撤退させようとした。独裁者なら統帥部に対して「オレが決めたのだから撤退だ！」とぴしゃりと伝えただろう。しかし東條は作戦にはまったく反対せず、そのかわりに陸軍省をつかってガダルカナルに向かう輸送船の数を減らし、知らずしらずのうちに撤退せざるを得ない方向に持っていこうとしたのだという。

いかにも官僚らしいやり方である。

同書には、イギリスのテイラーという歴史学者が一九七〇年代に書いた『戦争指導者』（邦訳版『ウォー・ロード―戦争の指導者たち』新評論、一九八九年）という本が紹介されている。アメリカ、イギリス、ソ連、ドイツ、イタリアの戦争指導者としてルーズベルト、チャーチル、スターリン、ヒトラー、ムッソリーニというお馴染みの名前が挙げられているのに、日本についてだけは「戦争指導者不明（War Lords Anonymous）」としているのだとか。

陸軍の軍人だった佐藤賢了は戦後、東條英機についてこのように語ったそうである。

〈東條さんは決して独裁者でなく、その素質も備えてはいない。小心よくよくの性格である。〉

東條英機がこのように単なる官僚気質の人であり、独裁者ではなかったのだったら、だれが戦争の泥沼へと引き込んでいったのであろう。

その答えは、山本七平の一九七七年の名著『「空気」の研究』に書いてある。戦争責任が負わせられるべきなのは「空気」である、と。

同書には、戦艦大和の話が出てくる。戦争末期、連合艦隊も壊滅し、まったく勝ち目がないのはわかっているのに、戦艦大和は米軍機が無数に待ち受けている沖縄方面に向けて、海上特攻を命じられた。どうしてそんな無謀な作戦を、頭脳明晰で経験も豊富だった統帥部は命じたのか。

このときに海軍軍令部の幹部だった小沢治三郎は、後にこう語っているという。

「全般の空気よりして、その当時も今日も当然と思う」

空気が決めた、というのである。山本七平はこう指摘している。

〈大和の出撃を無謀とする人びとにはすべて、それを無謀と断ずるに至る細かいデータ、すなわち明確な根拠がある。だが一方、当然とする方の主張はそういったデータ乃至根拠は全くなく、その正当性の根拠は専ら「空気」なのである。〉

〈あらゆる議論は最後には「空気」できめられる。最終的決定を下し、「そうせざるを得なくしている」力をもっているのは一に「空気」であって、それ以外にない。〉

日本は、ドイツのように独裁政権が暴走して戦争への道が開かれたのではなかった。リーダーシップ不在であり、なんでもそのときの空気に押し流されてしまう政治だったからこそ、日本は暴走してしまったのである。

もう一冊、参考文献を引こう。政治学者片山杜秀氏の『**未完のファシズム　「持たざる**

国』日本の運命』（新潮選書、二〇一二年）。この本では、日本のリーダーシップがなぜ不在なのかを鮮やかに説明している。

同書によると、日本ではそもそも太平洋戦争の時代のずっと前から、権力集中を防ぐ政治システムが繰り返しつくられてきたという。江戸幕府でさえも、将軍を補佐する「老中」という集団指導体制があったのだ。そして明治維新が起きて政治体制が変わってからも、明治政府は同じように「権力集中」を防ごうとした。

明治憲法では、総理大臣の権限は弱く置かれ、内閣と対等な「枢密院」も置かれ、そして軍は内閣や枢密院などからは独立させられていた。これが先ほども紹介した「統帥権の独立」である。「統帥権の独立」は軍部の暴走を招いたことから、権力集中の象徴のように言われているが、もともとの狙いはそうではなかったのだという。

どういうことか。明治政府が考えたのは、軍を不可侵の権力にすることではなく、軍が政治に口出ししないようにすることだったのだ。つまり軍と政治を分離する目的で、統帥権を独立させたのである。しかしこの権力の分散が、結果として日本を泥沼の戦争に引きずり込むことになってしまった。もし軍も政治も統括する独裁的なリーダーがいて、そのリーダーが「空気」を無視して「アメリカに勝てるわけがないじゃろう。この戦争はやらん！」と一喝していれば、あんなひどいことにはなっていなかったかもしれない。

『未完のファシズム』はこう書いている。

〈日本はファシズムだったという通念が、戦後の日本に根付いていったように思われます。しかし、ファシズムが資本主義体制における一元的な全体主義のひとつの形態だとすれば、強力政治や総力戦・総動員体制がそれなりに完成してこそ日本がファシズム化したと言えるわけでしょうが、実態はそうでもなかった。むしろ戦時期の日本はファシズム化に失敗したというべきでしょう。日本ファシズムとは、結局のところ、実は未完のファシズムの謂であるとも考えられるのではないでしょうか。〉

現代日本でも、強いリーダーシップに拒否感を抱く人は非常に多い。総理大臣が少しでも強い意思表示をすると、すぐに「権力の暴走だ」「横暴だ」と騒ぎ出すのが典型的なパターンだ。テレビや新聞の報道はそういうものばかりである。

そういう人たちやメディアは「反権力」を標榜していることが多いのだが、その「権力」とはそもそもどのようなパワーなのか？　本当にそこには強いパワーがあるのか？　そういうことを歴史を振り返りつつ問い直す作業を怠けてはいないだろうか。

実のところ日本に必要なのは、反権力ではなく「反空気」ではないだろうか。空気は勝手にさまざまな決定をし、しかし生身の人間ではないから、なんの責任もとらず雲や霧のようにあっという間にどこかに消えていってしまう。まさに雲散霧消なのである。

この国におけるリーダーシップの不在

『未完のファシズム』では、「うしはく」と「しらす」という聞き慣れない古語が紹介されている。「うしはく」は強いリーダーシップをもって力ずくで従わせる強権政治。「しらす」は、上の者が自分の考えを押し付けるのではなく、さまざまな人々の考えを認めながら、調整していくような「和」の政治だという。明治維新が起きたとき、新政府は天皇を中心とした新たな政治システムの基本的なコンセプトとして、「うしはく」ではなく「しらす」を本義としたのだという。

いまでも、このような「しらす」の和の調整型を好む人は多い。それは決して悪いことではないが、本来は表面化されるべき対立軸が見えなくなってしまうというマイナス面もある。

たとえば一九五五年から九〇年代までの日本の政治は、自民党と社会党が対立する構図があり、これを「五十五年体制」と呼んだ。しかしこの与野党の対立というのが実はほとんどが演出だったというのは、当時の政治や政治報道にかかわった人たちが多く証言している。国会では口角泡を飛ばして対立しているように見せながら、実は与野党の国対委員長が事前に談合して「落としどころ」をいつも決めていたのである。

新聞やテレビはこの談合の存在を知っていたが、報じなかった。談合しているのに「国会予算委員会で与野党激突！」などと書いていたのである。脚本通りのドラマの演出だったのである。

このように戦後の日本政治も、すべてが「しらす」的な調整だった。厚生労働省の官僚だった中野雅至氏は著書『**政治主導はなぜ失敗するのか？**』（光文社新書、二〇一〇年）で書いている。

〈（※編集部注 官僚は）どんな分野の仕事をやるにしても、自民党を中心に与党政治家の了解を得なければいけなかったからです。そんなこともあって、局長のような幹部でさえ自民党の政治家には平身低頭していました。〉

そして政治家の側も、官僚と同じような意識だったという。

〈自民党の政治家が政策を決めているという感覚も、ほとんどありませんでした。首相や大臣がリーダーシップをもって、「厚労省は何が何でも年金制度改革をやるんだ。俺が責任を持って進めるからがんばれ！」などと宣言するのを聞いたこともなかったからです。〉

それなら政策はどうやって決定されていたのか。中野氏はこう書いている。

〈誰かが明確に責任を負うこともなく、ダンゴレースのように物事が決まっていくのが大半だったような気がします。〉

二〇二〇年からの新型コロナ禍でも、自民党政権はロックダウンなど私権制限に踏み込んだ強い政策はとらなかった。「強権政治」「権力の横暴」と批判されて支持率を落とすのを恐れたのだろう。しかし、そのように強いリーダーシップがとられなかった一方で、「自粛」の名のもとに飲食店や観光業が大量倒産に追いやられ、しかもそれらはだれのリーダーシップによって判断されたのかもわからない。そこにはただ、「空気」の抑圧があっただけだったのではないだろうか。

新型コロナ禍を振り返れば、日本における「空気」とリーダーシップの不在は、太平洋戦争からいまに至るまでずっと続いているのだということを改めて感じる。いまこそ「反空気」の旗を振っていくことが必要なのである。

いまだに「権力が暴走する」「権力の乱用に歯止めをかけなければ」などと言っている人たちは、過去の遺物でしかないのだ。

巨大であることが国家と企業に求められた時代

そもそも世界全体を見わたしてみても、「強大な権力」というようなものは、すでに過去の幻想になりつつある。

なぜか。二十一世紀になって、日本でも転職の自由が広まり、一つの会社に縛られなくなった。それは倒産やリストラが当たり前になった長い不況の裏面でもあるのだが、「転職ばかりしている者は落ち着きのない無能者」呼ばわりされることが少なくなったのは幸いである。キャリアアップのために数年ごとに転職を繰り返し、それによって自分の仕事の専門性を高めていこうとする人たちは、二十〜三十代の若い世代を中心に増えている。一つの会社に縛られないスタイルである。

SNSが普及したことで、人間関係にも風穴があいた。さまざまな人たちとのさまざまな関係を、ずっと維持しておくことができる。

わたし個人の話をすると、わたしはインターネットがまだ普及する以前、そして終身雇用が当たり前の時代に新聞社で働いていた。そういう時代には、社内の人間関係がすべてだった。嫌な上司のいる少人数の職場に異動を命じられ、折り合いが悪くて死ぬほど苦労したこともある。しかし逃げ場はなかった。新聞社、しかも全国紙を辞めるなんていうことは想像もできなかった時代である。

新聞社には転勤も多い。ネットのない時代だから、転勤してしまうと元いた土地の友人たちとは切れてしまう。転勤を繰り返すたびに友人は減っていき、気がつけば気心の知れた社内の同僚たちしか友人と言える者はいなくなっている。わたしはそういう年長の社員をたくさん見た。人間関係が社内だけで完結していて、毎晩のように同僚たちとだけ会社の近くの屋台に飲みに行き、酔い潰れるまで飲んで、遅い時間に帰っていく。おそらく家族との会話も少ないのだろう。完全なる「会社人間」「社畜」である。

社畜にとっては、経営者や上司の指示は絶対である。強い権力そのものである。

しかし転職の自由と、インターネットの普及はすべてを変えた。強い権力を振るうには、その閉鎖空間に人々が閉じ込められている必要がある。しかしもはや、人々は閉じ込められていないのだ。さまざまな情報が手に入るようになって、会社に勤めている人が「会社の中のことしか知らない」ということはなくなった。会社の権力者も、社員を精神的に支配するというようなことは難しくなったのだ。

国境を越えて移動する人も増えた。格安航空会社が普及して移動のコストが安くなり、ネットの普及によって国に置いてきた家族や友人ともいつでも連絡がとれるようになり、心理的なハードルも下がった。二十一世紀に入って、中東やアフリカから大量の移民や難民がヨーロッパに流入するようになったのも、こうしたハードルの低減が寄与している面は大きい。国家が国民を縛る権力も、以前よりは弱くなってきている。

歴史を振り返ると、そもそも「強い国家権力」というものが近代の産物だった。中世までは国王の支配は領地から税金をとることでしかなく、国の軍隊も傭兵が中心で、国民が動員されることはなかった。ヨーロッパでは十八世紀のフランス革命のあとに初めて「国民の軍隊」という考えが広まり、国民を総動員できる強い国家権力が登場したのである。

企業の力も同じである。

アメリカでは、過去に三度の大きな企業合併の動きがあったことが知られている。第一期は一八九〇年代、第二期は一九二〇年代、第三期は一九六〇年代。たとえば自動車が発明された十九世紀の終わり頃、自動車会社はデトロイトを中心に約一八〇社もあった。それが合併と買収を繰り返して、第二合併期のあとにはフォード、GM、クライスラーのいわゆる「ビッグスリー」三社に統合されている。

自動車産業だけでなく、GEやコカ・コーラ、ペプシコ、ウェスティングハウスなどアメリカの二十世紀を代表した巨大企業は、多くが企業合併期にできあがっている。ドイツでも同じ時期にAEGやバイエル、ジーメンスのような大企業の寡占が進み、そして日本でも三菱や三井などの財閥が台頭した。つまりは企業も国家と同じように、強い権力を持つ存在になっていったのだ。

なぜこのような合併の流れが世界的に起きたのか。

　アメリカの研究者でありコンサルタントであるニコ・メレ氏の著書『**ビッグの終焉**』（東洋経済新報社、二〇一四年）は、帝国主義によるアジア・アフリカの植民地化や二つの世界大戦が、「巨大であること」を国家や企業に求めたからだと分析している。

　大量生産のシステムが登場し、大きな資本と大きな工場、たくさんの労働者を使えることが企業の勝利の条件になった。そしてこれらの企業を後押しするために巨大な政府が必要とされ、そのためには官僚システムが整備される必要があり、政府はさらに大きくなった。さらに、二つの世界大戦は、参戦した国に総動員体制を求めたから、ますます大量動員と大量生産を求めるようになる。そしてこの政府と企業のシステムから働く人たちを守るため、労働組合も巨大化して対抗するようになったのである。

「権力者と反権力」という二分論の成立

　しかしこのような「強い権力」の時代は、二十世紀とともに終わりを迎えつつある。

　有力な外交専門誌『フォリン・ポリシー』編集長だったモイセス・ナイムは、著書『**権力の終焉**』（日経BP、二〇一五年）で書いている。

〈ほとんどの人々は、世界、隣人、従業員、勢力者、政治家、政府を、自分たちの親が見ていたようには見ていない。それはいつの世でも、ある程度あったことだ。しかし、現代はかつてないほど広い範囲で、かつてなく安い費用で、移動したり、学んだり、他人とつながったり、通信したりできる資源と能力が得やすくなった。そんな状況が人々の認識や感情に与えているインパクトが、豊かさ革命と移動革命の相乗効果によって大幅に増大している。この事実が、世代間の意識、そして世界観の隔たりを否応なく際立たせているのである。〉

近代の国家は、「上意下達」だった。権力者は上座にいて、国民を上から指示し命令し、規範を押しつける。支配する側とされる側は、分離した存在だったのである。だから「殺す側と殺される側」「権力者と反権力」といった二分論が成立したのである。

しかし情報や移動の自由化によって、この二分論は成り立ちにくくなってきている。それなのに、この単純な世界観で社会や政治を語ってしまう人は、いまの日本にもまだたくさんいる。

ナイムは、国家だけでなく企業やNPO、個人のインフルエンサーなどさまざまな小さな力が相互に作用するような構図になってきていると『権力の終焉』で書き、それらの小さな力をマイクロパワーと呼んでいる。国家の力は相対的に低下し、さまざまなマイクロパワーが相対的に増大し、そこでは権力は上からやってくるのではなく、さまざまなマイクロパワーの相互作用というようなものへと変わっていこうとしているのだ。

アメリカの国家情報会議が四年ごとに発表している『グローバル・トレンド』というレポートがある。少し古いが、二〇一二年の『グローバル・トレンド2030：未来の姿』は、こう書いている。

〈二〇三〇年の世界は、現在のその姿からは劇的に変化する。二〇三〇年までには、いかなる国家も、米国、中国、その他の大国のいずれも覇権国家ではなくなるであろう。個人のパワーの増大、国家の連携、国家的なものから非公式に至るネットワークは、一七五〇年代からの西側諸国の歴史的な繁栄の大転換、世界経済のアジア重視への回帰、国内外での新たな民主化の時代の先導といった強い影響を与える。〉

〈我々は、個人のパワーの増大、国家の連携及びその他2つの大きな潮流が、二〇三〇年に向かうこの世界を形作るものと考えている。〉

政府のリーダーシップだけで、すべてのものごとを決定できるわけではなくなっている。ロシアのプーチン大統領が突如としてウクライナへと侵攻を始めたことに世界中の人々が驚いたのは、その「時代錯誤」に呆気にとられたこともあっただろう。

二十一世紀には、政府だけでなく企業や個人、NPOなどさまざまな利害関係者によるなんらかの調整がいたるところで必要となっている。リーダーシップは依然として重要だが、先にも書いたように、リーダーシップだけに頼れば独裁化してしまう危険性もある。つまり政治というものは、リーダーシップと調整のハイブリッド的なものへと移行しつつあるということなのだろう。

そして大事なのは、その調整のプロセスが可視化されていくことである。古い時代の日本の「調整」はともすれば密室での密談であり、プロセスが可視化されていなかった。だから容易に空気に流され、逆にあらぬ疑いを抱かれて「権力がこっそり暴走している」と思われてしまうようになった。

空気に押し流されず、反権力のスローガンにも引きずられず、より良い透明な調整を行い、マイクロパワーの相互作用をうまくコントロールしていくこと。それがこれからの政治の本質なのである。

反権力は、なぜカッコ悪くなったのか

「権力が陰謀を企んでいる」という左派の物語

陰謀論というと、右派系のものばかりが報じられる傾向がある。たしかに右派陰謀論はたくさんある。近年では、「Qアノン」というアメリカの政治運動が悪名高い。ディープステートという世界的な秘密組織があり、ドナルド・トランプはそれと戦う英雄であるという謎の陰謀論を打ち出している。これの日本派生版もあり「神真都Q（ヤマトキュー）」と名乗っている。ライターの雨宮純氏の「神真都Qとは何か」(https://note.com/caffelover/n/n97b5ec8fa92b) という記事によると、こんな陰謀論を言っているらしい。

〈「子供の脳髄から抽出される『アドレノクロム』という若返り物質が切れたために顔面が崩壊した有名人が、ゴムマスクをかぶって公の場に登場している」〉

まことに頭の痛い話である。

しかし陰謀論は、右派の専売特許ではない。マスコミではほとんど報じられないが、左派を中心に盛り上がっている陰謀論も多数ある。

左派系陰謀論で最も多いのが、食や環境にまつわるものだ。「食品添加物は危険」「コンビニのパンは添加物まみれ」といった軽い話から、除草剤のラウンドアップをつくっていたモンサント社がまるで「悪の帝国」のように扱われ、世界中の環境を破壊し、食の安全を奪っているかのような陰謀論はよく出まわっている。ちなみにモンサント社は現在はドイツのバイエル社に買収されており、社名はすでに消滅している。

SNSが普及してからは、少しでも政府寄りの投稿をした人に対して「権力にカネをもらって政府に尻尾振ってる犬」とリプライする左派系の人が非常に増えた。これも典型的な陰謀論である。二〇一一年の東日本大震災では、放射能に関する大量のデマのみならず「震災はアメリカの地震兵器によるものだ」といった陰謀論も出まわり、これらを主に拡散させたのは左派の人たちだった。二〇二〇年頃には、政府の内閣情報調査室の職員たちが左派を攻撃するツイッター投稿を日夜続けているという陰謀論がやたらと出まわったこともある。これはもともと『新聞記者』という二〇一九年の映画に出てくる架空の設定だったのだが、これを真面目に信じてしまう人が続出したのである。

二〇二二年からのロシアによるウクライナ侵攻でも、陰謀論はたくさん現れた。

「ウクライナ政府がオデッサで住民を大量虐殺している」
「ゼレンスキー大統領はネオナチ」

ＳＮＳ以前の時代にまでさかのぼっても、左派系陰謀論はたくさんある。たとえば一九八五年の日航ジャンボ機墜落事故は自衛隊のミサイルによるものという陰謀論、二〇〇一年の同時多発テロは米軍のミサイルによるものという陰謀論。

試みに、グーグルで「ＪＡＬ１２３便墜落事故　真相」と検索してみよう。「真相」というのは、陰謀論者が好んで使うワードである。たくさんのブログや投稿がヒットする。こんなふうだ。

「ジミントーが口癖のように言う『国民の命を守る』という言葉がいかに空虚なものであるか！」
「私たちは報道の自由とかお題目だけで、肝心な事は何も知らされない国民なのだろうか？　何処かの誰かの為に真実はこの先も闇の中なのだろうか」

このようにステレオタイプな左派的スローガンや言いまわしが、この手の陰謀論にはよく使われているのである。

左派系の陰謀論には、ざっくりと一貫した特徴がある。それは「権力が陰謀をたくらんでいる」という物語が多いという特徴である。「権力」とは時に日本政府であったり、米軍であったりする。ウクライナ侵攻でロシアのプロパガンダ陰謀論に左派がはまっているのは一見すると不思議だが、ロシアがアメリカと対立しており、アメリカを権力の象徴と捉えれば、ロシアは「反権力」であるという物語になるのだろう。

マイケル・サンデルで読み解く政治哲学の対立

ここで念のために指摘しておきたいのは、政治的対立は必ずしも「反権力」である必要はないということである。

わたしは、本来の政治的対立は「政治哲学」同士の対立であるべきだと考えている。

この論証として、著名な政治学者マイケル・サンデル氏に登場してもらおう。サンデル氏は、政治哲学には以下の四つの基本的な考え方があると説明している。


「功利主義」

「リバタリアニズム」

「リベラリズム」

「コミュニタリアニズム」


功利主義は、社会のひとりひとりの幸福の量を合計し、それが社会全体で最大になるようにしようという考え方。

リベラリズムは、もともとはマルクス主義左派だった人たちが「リベラル」と自称するようになってかなり曲解されてしまっているが、もともとは王政などの圧政から逃れて政治的な自由を実現しようという考えであり、そこからさらに進んで「幸福な生活」を享受する自由も実現しようということまで含む考え方。

リバタリアニズムは、政治的な自由だけでなく、経済もすべて自由にし、規制緩和や民営化などをどんどん進めようという考え。ビッグテックの経営者にリバタリアニズムの信奉者は多く、日本の起業家でも賛同する人は多い。しかし自己責任論とも親和性は高く、ともすれば弱者切り捨てになりがちな問題がある。

コミュニタリアニズムは、共同体主義。人々がともに生きるためにはどうするのが最善かを考え、社会の目標を「何が社会にとって良いことなのか」という共通理念のようなものにしていこうという考え。そしてサンデル氏は、コミュニタリアニズムの提唱者である。

本来の政治的対立とは、このような政治哲学にそれぞれが立脚し、議論を戦わせ、折り合いを見つけていくというものであるべきだ。相手を「権力者！　悪！」と叩いているだけでは、有効な議論はまったく生まれない。そもそも「権力は悪！」と非難している側が政権交代で政治権力になってしまった場合、その人たちはいったいだれと戦うつもりなのだろうか？

大衆消費社会と対立するカウンターカルチャー

それにしても、なぜ「反権力」という姿勢ばかりが、現代社会でこれほどまでに大手を振るようになったのだろうか。カナダの哲学者ジョゼフ・ヒースは著書『**反逆の神話「反体制」はカネになる**』（ハヤカワ文庫にて新版、二〇二一年）で、この理由を第二次世界大戦後の文化の流れを切り口に分析している。

同書によると、日本でいうと団塊の世代にあたる米国のベビーブーマーは、一九六〇代年代から七〇年代にかけてカウンターカルチャー（対抗文化）と呼ばれる反逆の文化を生みだした。俗っぽく言えば「セックス、ドラッグ、ロックンロール」である。これがなぜカウンター（対抗）と呼ばれたのかと言えば、大人社会のつくるメインカルチャー（主流文化）に対置したからである。

なぜカウンターカルチャーは発生したのか。同書は、二つのポイントを指摘している。

第一に、第二次世界大戦後の急速な経済成長で、大衆消費文化が急速に広まっていったこと。

第二に、ナチスドイツへの反省。

この二つが結びついているのが不思議ではある。同書はこう説明する。ナチスドイツはだれもが知っている通り、国民を煽動したファシズムだった。北朝鮮のように暴力で国民を抑圧しているのではなく、国民が熱狂してヒトラーを支持したのである。たとえば有名な話として、秘密警察ゲシュタポは国民を監視し抑圧していたのではなく、実際にはゲシュタポのもとに国民からの隣人や同僚への密告が殺到し、ゲシュタポはさばききれないほどだったというエピソードがある。普通のドイツ人たちがナチスに熱狂して密告していたのだ。

ドイツ人というと理性的な国民性のイメージがあるが、そういう理性的な人たちも気がつけば権力に順応してしまい、最後はユダヤ人のジェノサイドに間接的にであっても手を貸してしまった。これは「その他大勢」になることが知らずしらずのうちに恐ろしい結果を招くのだ、という恐怖心を欧米人たちに植えつけたというのが同書の説明である。

そして戦後、経済成長とともに大衆消費社会がやってくる。大衆消費社会は、人々をひとつの大きなマス文化の中へと放り込む。農村などの小さな共同体の中で文化が育つのではなく、「日本全体」「アメリカ全体」で文化がつくられるのが、大衆消費社会なのである。つまり皆がマクドナルドのハンバーガーを食べ、コカ・コーラを飲んで、ビートルズを聴く。そういうマス文化が戦後のアメリカで花開いた。

この大衆消費社会のマス文化のありように、ナチスドイツへの反省が結びついて、思わぬ化学反応が起きた。「大衆消費社会に呑み込まれると、気がつけばファシズムに熱狂してしまうかもしれない」という発想に結びついてしまったのだ。これこそがまさにカウンターカルチャーであり、反権力の基礎となったのだと『反逆の神話』は説明している。

実に見事な分析である。

この結果、カウンターカルチャーのベビーブーマー世代は、大衆消費社会に対してこう考えるようになった。

「多くの消費者はだまされている」
「大企業はわたしたちをだまそうとしている」
「政府は信用できない」
「一般大衆は組織の歯車、愚かな順応の犠牲者である。浅はかな物質主義の価値観に支配され、中身のない空虚な人生を送っている」

反権力アウトサイダーのエリート自認

しかしこのようなカウンターカルチャーの姿勢には、当時は見過ごされていた大きな副作用があった。それは、カウンターカルチャーの人たちは自分自身を「社会のアウトサイダー」と自認するようになり、当事者（インサイダー）として社会をみんなで改善していこうという志を否定することになってしまったということである。

たとえば、とある工場からの汚染物質が排出されていることが発覚したとする。これに対処するためには、排水の規制を変更し厳しくすることや、排水の監視システムなどを考える必要がある。そのためには政治家と連携して官僚に働きかけ、あるいはNPOなどの民間団体も含めて協議の場をつくって検討していくというようなやり方が建設的である。

しかし反権力なアウトサイダーを自認する人は、そういう当事者的なやり方は好まない。なぜなら「政府や大企業に加担している」と映ってしまうからだ。そして、政府と協力して建設的な対処を考えている人を「御用学者」と非難することになる。

彼らは建設的なことは否定し、そのかわりに街頭デモで「汚染物質を流した企業は謝罪せよ！」「政府は何もしていない！」とシュプレヒコールを上げる。そうやってひたすら非難していれば、社会は変わることができると思い込んでいるからだ。

加えて反権力のアウトサイダー自認は、ゆがんだエリート意識も生み出す。なぜアウトサイダーがエリート意識になり得るのかと言えば、「おれはおまえらと違って、体制にだまされたりしない。愚かな歯車ではない」とアウトサイダーは考えてしまうからである。

ひとつ例を挙げよう。カレ・ラースンというカナダの社会活動家の著書『**さよなら、消費社会　カルチャー・ジャマーの挑戦**』（大月書店、二〇〇六年）は、カウンターカルチャーについてこんな表現をしている。

〈自分の内面のほんとうの声に従えば、近代的消費文化が肥大化させたゴマカシが周囲に満ちていることに気づくだろう。「隠れたところで静かに陰謀が進んでいるとき、真実の一言は、獣性のように響く」。〉

ここに「陰謀」ということばが出てくることを注視しよう。アウトサイダーとして「大衆は理解していない真実を、自分だけが理解している」と優位に立つためには、大衆はつねにだまされる存在でなければならず、だます存在がいなければならない。この思考回路は、荒唐無稽な陰謀論と結びつきやすいのだ。

自分たちが社会のインサイダーとして、ともに社会をつくる仲間になるのであれば、

「だれかがだれかをだます」という発想は生まれにくい。しかし、みずからをアウトサイダーと自認することによって、「インサイダーはだまされている、真実を知らないんだ」という見たてに陥ってしまうのである。

アウトサイダーでありエリートである、という自認にはもう一つ問題がある。それは、この自認が二十世紀の右肩上がりの成長の時代だからこそ成立できたということである。右肩上がりの成長の時代には、「明日は今日より良くなる」という希望があった。明日への希望が自明だったからこそ、逆に明日への希望を否定したくなるというマインドが生まれるのである。「明日も明後日もその次の日も、未来までずっと毎日終身雇用の会社員でいられる」からこそ、「会社員という身分に反逆したくなる」と人は考えるのである。

これはわたし自身の恥ずかしい経験からも理解できる。わたしは二十歳の大学生の頃、「いずれ自分も就職し、会社員になるのか。そうしたら毎日通勤電車に揺られて、六十歳になるまでずっと会社員生活に閉じ込められるのか。そんなのウンザリだ」と考えていた。いまの大学生がわたしのこの独白を聞いたら、「何を贅沢なことを言ってるんだ」と怒り出すだろう。そもそも一生安泰な正社員になれること自体が、現在の日本ではもはや無理ゲーに近い。希望通りに就職できただけでも幸運である。成長が期待できず、閉塞的な二十一世紀の現状からは「明日への希望を否定したい」「正社員なんかになりたくない」などというアウトサイダー的な発想は決して生まれない。アウトサイダー自認は、前世紀の希望のある時代だからこそ成り立つ「中二病」でしかなかったのだ。

社会の中枢になっても反権力を気どる世代

さて、一九六〇年代から七〇年代にかけてアウトサイダーを気どっていた米国のベビーブーマーや日本の団塊の世代は、やがて中年になり、社会の中枢へと昇っていった。それにともなって、カウンターカルチャーはメインカルチャーになっていく。

この流れは、ポピュラー音楽で考えるとわかりやすい。日本では一九七〇年代ぐらいまではポピュラー音楽のメインカルチャーは、演歌やムード歌謡だった。ロックはあくまでもカウンターカルチャーであり、紅白歌合戦には出番はなかったのである。たとえば、ロックが若者に熱狂的に支持されるようになっていた一九六八年の第十九回紅白歌合戦には、ロック畑の人はだれひとり出場していない。都はるみや島倉千代子、北島三郎、森進一といった演歌勢。西田佐知子や青江三奈、梓みちよ、鶴岡雅義と東京ロマンチカ、バーブ佐竹などのムード歌謡勢。海外の音楽の香りと言えるのは、ザ・ピーナッツやピンキーとキラーズ、中尾ミエなどわずかな人たちだけである。

しかし、ロックを好む団塊の世代が中年になる一九八〇年代ぐらいには、ロックはメインカルチャーになっていく。団塊が高齢化した二十一世紀にはロックもすっかり権威になり、たとえばツイッターなどでロックやパンクなどについて投稿すると、たちどころに団塊の世代の人たちが上から目線で説教を始める、という光景をごく日常的に目にするようになった。ロックやパンクがカウンターカルチャーだった時代には、あり得なかった光景である。

団塊の世代の高齢化にともなって、カウンターカルチャーは権威化した。つまりは、彼ら自身がメインカルチャーをになう文化の権力になったということである。その文化権力者たちが、アウトサイダーや反権力をあいかわらず標榜しているというのは、もはや冗談でしかない。年齢を重ねたミュージシャンがステレオタイプな政治批判をして「おれは孤高の戦士」というように気どる姿をたまに見かけるが、まわりの全員が同じように孤高の戦士だと自認している時代に、何が孤高なのだろうか。

そもそも社会の中核の人たちが「おれはアウトサイダー」「わたしは反権力」を気どっていたら、いったいだれが社会をまわすというのだろうか。

わたしたちは全員が社会のにない手である。アウトサイダーを気どらず、「自分こそがインサイダーである」という自覚を持ち、社会を良い方向に変えていく責任感を持たなければならない。

「批判するなら対案を」ではなく「批判するなら理念も示せ」

新型コロナ禍で理念不在となった朝日新聞

「批判をするには対案を」という意見を近年、よく目にするようになった。こうした意見に対して「対案がなければ批判しちゃいけないのか」「明らかに間違ってる事象に対しては、対案がなくても批判するのは当然だろう」という反論もよく目にする。この反論には、わたしは一定の正当性はあると考えている。対案がなくても、誤っているのなら指摘すべきだというのはその通りではないだろうか。

しかし批判し否定しているだけでは、物事は前には進まないということも正しい。ではどのような批判が、公正なお作法としてあり得るのだろうか。

それは「理念」である。「批判するなら理念も示せ」をわたしは提案したい。批判をするのなら、それがどのような理念にもとづくのかを同時に表明してもらいたい。

しかし残念なことに「理念なき批判」は、新型コロナ禍では新聞テレビの報道にあふれかえった。一例を挙げよう。二〇二〇年春に初めての緊急事態宣言が出された際、朝日新聞は社説でこう書いた。

〈朝日新聞の社説は、市民の自由や権利を制限し、社会全体に閉塞《へいそく》感をもたらす緊急事態宣言には、慎重な判断が必要だと主張してきた。特措法にも「(自由と権利の)制限は必要最小限のものでなければならない」という「基本的人権の尊重」の項目がある。その重みを十分踏まえた対応を求める。〉(二〇二〇年四月八日)

ところが、翌春に二度目の緊急事態宣言が解除された際には、朝日新聞は同じ社説で『展望みえぬ宣言解除　再拡大阻止に全力をあげよ』と見出しを掲げ、こう書いている。

〈新規感染者数の水準はなお高く、一部地域ではリバウンド(再拡大)の兆しがみえる。より感染力が強いとされる変異ウイルスの拡大も心配だ。にもかかわらず、菅首相は緊急事態宣言の全面解除に踏み切った。極めて重い政治責任を負ったといえる。〉

(二〇二一年三月十九日)

最初の社説で、基本的人権の観点から「緊急事態宣言には慎重な判断が必要だ」と訴えたのは、ひとつの理念である。日本では緊急時でも、私権制限をなるべく行わないという認識がこれまで共有されてきた。だから憲法にも緊急事態条項は盛り込まれていないし、政府は国民の私的な領域にはなるべく踏み込まないという了解がある。

このような認識は、戦前の特高警察による人権侵害の反省を踏まえたものであり、ひとつの理念として日本の戦後社会を縛ってきた。

これに対し、新型コロナのようなパンデミックが二十一世紀に起こり、さらにはロシアのウクライナ侵攻に端を発して日本の安全保障環境が変化し、戦争の危険も高まってきたことなどから、緊急事態の法整備を求める人も増えている。これもひとつの理念である。どちらを選ぶのかはまさに理念と理念の衝突であり、そこにこそ議論の余地はある。どこかで折り合いをつけて、なんらかの新しい政治判断がくだされれば決着となる。

しかし朝日新聞は、同じ社説で緊急事態宣言の解除について「展望見えぬ」「極めて重い政治責任」と批判した。前年の基本的人権擁護はどこに行ってしまったのだろうか？朝日新聞の理念はどこにあるのだろうか？

立憲民主党幹事長の「批判しやすいから批判」という姿勢

このような「理念不在」はメディアだけでなく、政治家にも見られる。立憲民主党幹事長（当時）の福山哲郎氏はコロナ禍の最中、感染が増えていることについて以下のようにツイートした。

〈今日、7日の東京都の新型コロナウイルスの感染者は920人。明日は、このままなら議院運営委員会で、政府はまん延防止等重点措置の延長を決めると言われているが、本当に単なる延長でいいのだろうか。緊急事態宣言の再発令をすべきではないのか。オリンピックは目前である。〉（https://twitter.com/fuku_tetsu/status/1412686920010768384）

ところがその五時間後、まさに「舌の根の乾かない」うちに、福山氏は今度はこうツイートした。

〈報道によれば、東京の感染拡大を受けて、明日、政府は4回目の緊急事態宣言の発令方針を固めた、とのこと。期限は8月22日まで。「緊急事態宣言下のオリンピック」が現実になってしまった。最悪のシナリオ。まさに「政府は追い込まれた」としか言いようがありません。〉(https://twitter.com/fuku_tetsu/status/1412765236998729729)

私権制限について、福山氏は政治家としてどのような理念を持っているのだろうか。

緊急事態宣言という私権制限に反対するにしろ賛成するにしろ、「われわれ日本社会は、どの程度の私権制限を許容するのか。そして許容する場合、歯止めはどのようにするのか」という理念を自分のバックグラウンドとしてしっかり持つことは、メディアや政治家の重要な責務である。どのぐらいの私権制限を認めるのかという理念は、政党や個人によってその度合いは異なるだろうが、それらの理念と理念をぶつけ合ってこそ議論はできるし、どこかのポイントで折り合いもつけられるのである。

そういう理念なしに、緊急事態宣言が出れば「人権侵害だ」「政府は追い込まれた」と叫び、緊急事態宣言が終わると「感染が増えるのに大丈夫か」と懸念する。これは単に「批判しやすいから批判する」という域から一歩も出ておらず、議論のしようがない。

再生可能エネルギーはベースロード電源になるか

別の議論を題材にしてみよう。

原子力や火力に頼らなくても、太陽光や風力などの再生可能エネルギーがあれば電力は十分足りるという意見をよく目にする。本当だろうか。「再生可能エネルギーだけで大丈夫」というのは対案として成立し得るのだろうか。

電力の歴史を振り返ってみよう。

電力が利用され始めたのは、十九世紀である。発電機が発明され、当初は電灯に使われるだけだったが、動力にするなど幅広く用途が広がっていった。やがてさまざまな工場が、自前で発電機を用意し、工場敷地内に電力線を引いて自家発電して工場設備を動かすようになる。この当時の発電の中心は、水力だった。しかし水力発電所には、大きな立地の問題がある。

「川のそばにしかつくれない」という問題である。

そこに発明王トーマス・エジソンが現れた。エジソンは発電は一か所に集約したほうが効率が良いのではないかと考え、中央発電所からネットワークを通じて電力を供給するというアイデアを発明した。

実際にネットワーク化を実用化したのは、エジソン率いるジェネラル・エレクトリック（ＧＥ）社である。発電ネットワークのアイデアを現実化するためには、新たな技術が必要だった。それまでのピストン駆動の蒸気エンジンよりも、ずっと効率的で大型にできる蒸気タービン。直流ではなく、遠くまで送電可能な交流電流システム。さまざまな波形の電流の規格に対応できる変圧器。顧客の潜在的な最大電力需要を測る需要メーター。これらの技術の集約によって、ＧＥは巨大な発電所を建設する。全米各地へと電力網を使って配電する仕組みをつくり上げ、電力コストを思い切って下げることに成功したのである。

電力網が完成したことで、工場ごとにあった発電機は不要になった。工場が自前で電力を用意するのではなく、外部の電力を使うという現在のしくみに変わったのである。

この頃から、発電のためのエネルギーも水力から石炭や石油などの化石燃料にかわった。化石燃料は鉄道やトラックで運搬することができるので、「川のそばにしかつくれない」という制限から解き放たれ、幹線道路沿いなど便利で広い土地が確保できるところに建設できるようになった。

現在は世界の電気の三分の二を化石燃料の石油、天然ガス、石炭が占めている。残りは原子力が一〇パーセント、再生可能エネルギーが一一パーセント、水力が一六パーセントなどとなっている。

これからの世界には、どのエネルギーが最適なのだろうか。

化石燃料は地球温暖化を加速させるため、良くないものであると考えられている。原子力は、チェルノブイリや福島第一の原発事故の反省から、これも良くないものであると考えられてきた。いっぽうで太陽光のような再生可能エネルギーは、良いものとされてきた。再生可能エネルギーは地球温暖化を防ぐのと同時に、破滅的な事故を招く危険性もないからだ。ほんとうに地球が温暖化しているのかどうかという議論もあるにしろ、少なくとも地球が温暖化することに賛成する人はいないだろう。加えて降り注いでいる陽光を利用するため、燃料を他国から輸入する必要がないというメリットもある。

しかし太陽光発電には、ネガティブな問題も起きている。三つ挙げよう。

第一に、環境破壊。山の斜面を削り、樹木を伐採して太陽光パネルをずらりと設置することは、自然景観を破壊するだけでなく、水害の原因になる危惧も指摘されている。

第二に、日本では一般家庭の家計を圧迫している問題。日本では福島第一原発事故のあと、太陽光発電を普及させるため、太陽光エネルギーを高い固定価格で買い取る制度ができた。この費用を捻出するため、家庭の電力料金に「再エネ賦課金」という金額が上乗せされるようになり、いまや国民全体の年間の負担額は四兆円近くになっている。ひとりあたりにしても三万円以上という驚くべき金額である。

第三に、ベースロード電源にならない問題。ベースロード電源というのは、季節や天候、昼夜を問わずにつねに一定量の電力を安定的に低コストで供給できる電源のことを指す。工場など産業を維持するためには、ベースロード電源は不可欠である。再生可能エネルギーの中でも、地熱発電はベースロードになるが、太陽光や風力はベースロードにならない。

なぜなら「間欠」の問題があるからだ。間欠とは「起きたり止まったりすること」という意味で、「つねに発電できるわけではない」ということである。太陽はいつも照っているわけではなく、風はいつも吹いているわけではない。曇っていて風がないときには、他のエネルギーに頼らざるを得ない。

脱原発をしたドイツの本当のエネルギー事情

これを解決するには、二つのアプローチがある。一つは、バッテリーに蓄電しておくこと。もう一つは、再生可能エネルギーを組み合わせることで、お互いの足りない部分を埋め合わせること。

バッテリーはいまのところ、現実的ではない。遠い将来に効率の良い新しいバッテリーが開発されることは期待できるが、現在のバッテリーはそこまで性能が良くない。コストも非常に大きい。ビル・ゲイツは著書『**地球の未来のため僕が決断したこと　気候大災害は防げる**』（早川書房、二〇二一年）で、バッテリーについて論じている。

〈仮に将来、東京がすべての電気を風力でまかなうようになったと想像してもらいたい（実際、日本は陸上でも洋上でもかなりの風を利用できる）。ある年の八月、台風シーズンの真っただ中に超大型台風に襲われる。風があまりにも強いため、風力タービンは稼働を停止しなければ壊れてしまう。東京都の幹部たちはタービンを止め、手にはいる最高性能の大型バッテリーに蓄えた電気だけでしのぐことにした。

さて問題だ。台風が去ってタービンをまた動かせるようになるまでの三日間、東京に電力を供給しつづけるには、バッテリーがいくつ必要だろうか。
答えは、一四〇〇万個以上だ。これは、世界で一〇年間に製造される蓄電容量よりも多い。購入価格は四〇〇〇億ドル。バッテリーの寿命を考えて平均すると、年間二七〇億ドル超の出費になる。〉

たいへん巨大な数字が出てきて、途方に暮れるほどである。現時点でバッテリーはまったく選択肢に入らない。

「間欠」を解決するもう一つの方法、「再生可能エネルギーを組み合わせることで、お互いの足りない部分を埋め合わせる」はどうだろうか。

実はアメリカやヨーロッパでは、これが可能になっている。アメリカは国土が広大で、それぞれの再生可能エネルギーに適した地域がたくさんある。太平洋岸北西部の水力、中西部の強風、カリフォルニアの太陽光。送電網をつくりなおす必要はあるが、それらを組み合わせて電気を融通し合えばいい。

これはヨーロッパでも同じである。一つの国は日本よりも狭いが、陸続きなので、電力を融通し合えるのだ。ドイツは二〇二三年にすべての原発を停止して脱原発政策を実行に移したが、これは電力が足らないときには、フランスなど陸続きの他国から送電してもらえるという前提があるからこそ可能なのである。

ドイツはイザール原発他の運転終了によって脱原発を実現させた。だが再生可能エネルギーだけでは、安定したベースロード電源にはなり得ない。

そういう話をすると「いや、ドイツは年間の総量では電気の輸出のほうが輸入よりも多い。脱原発ができても国内の電気は十分足りている純輸出国だ」と反論する人が現れる。

しかし、この反論には「同時同量」という非常に重要な電力の概念が欠けている。

先ほども書いたように、電力は蓄《たくわ》えるのが難しい。だから需要と供給の量をつねに合わせておく必要がある。いま一〇〇の電力需要があれば、一〇〇を供給する必要がある。需要が一二〇に増えれば、供給も同時に一二〇に増やす必要がある。需要が九〇に減った場合は、供給も九〇に減らす必要がある。「余計に供給しておく」ということはできない。供給が需要を上回ってしまうと、電気の周波数が乱れて最悪の場合には発電所の安全装置が発動し、電力が突如としてストップしてしまう危険性があるからだ。

ドイツは年間の総電力量ではたしかに純輸出国だ。しかし「同時同量」を保つためには供給量のきめ細かいコントロールが必要で、ここに他国からの電力の融通を活用しているのである。

ひるがえって日本は、島国だから他国から電気を融通してもらうのは難しい。中国やロシアとのあいだに海底ケーブルなどをわたして電気を融通してもらうことは物理的には可能かもしれないが、安全保障の観点からは論外である。

このように再生可能エネルギーの「間欠」の問題を解決するのは、現時点では難しい。

再生可能エネルギーには、コストの問題もある。中国が二十一世紀に入る頃から急激な経済成長を成し遂げ、何億人もの国民を貧困から脱することができた背景には、安い石炭火力発電を使ったことがある。もし再生可能エネルギーだけしか使えなかったら、急速な経済成長をすることはできなかっただろう。

これはアフリカやアジアの途上国にも当てはまる。途上国はいま、中国から安い石炭火力発電所を購入し、経済成長をしようとしている。現在でも、地球人口のうち八億人が電気を安定して利用できていないという数字もある。アフリカのサハラ以南では、送電網につながって電力を利用できている人は半分未満と言われている。これらの国々を無理に再生可能エネルギーに転じさせたら、どうなるだろうか。

「再生可能エネルギーで脱炭素を実現し、地球温暖化を防止せよ」というスローガンはよく日にするが、もし途上国の食糧確保への配慮をせずに、ただ脱炭素だけを推進したら何が起きるのか。立命館大学で環境システム工学を専攻している長谷川知子准教授は、たとえば、代替エネルギーとしてバイオエネルギーを利用すると、その原料になる作物を育てるために広大な土地や大量の水が必要になり、それによって食糧用に使う分が減って食糧の価格が上昇することで、食糧の消費量が世界全体で五パーセントほど少なくなる。二〇五〇年には、飢餓のリスクにさらされる人口が七千八百万人も多くなるというシミュレーション結果を発表している。

原子炉の小型化と化石燃料発電の進歩

いっぽうで化石燃料や原子力には、ポジティブな面はあるのだろうか。最も大きいのは、化石燃料も原子力も一定して発電でき、ベースロード電源になることだ。

原子力は破壊的な事故が起きる可能性や、使用済み核燃料の処分が難しいというネガティブな面はよく知られている。このうち事故対策に関しては、ＳＭＲ（小型モジュール炉）という従来よりも小さな原子炉の開発が進んでいる。小型であることで自然冷却が可能だったり、原子炉を丸ごと水などの冷却材に沈めることで電源喪失しても事故にはつながらない。この技術が進歩すれば、事故の可能性は著しく抑えられる可能性はある。

また化石燃料も、テクノロジーの進歩は進んでいる。石炭火力発電では日本の技術が進んでおり、大気汚染を出さず、温暖化ガスを極力出さない方向へと進んでいる。ただし化石燃料は日本は輸入に頼らざるを得ず、日本の安全保障としてはこれらに頼りきるのは心配というネガティブな面がある。

ここまでを整理すると、エネルギーをめぐる議論は以下のような要素に分解することができる。

【化石燃料発電】

ベースロード電源として使える。温暖化ガスを排出する問題があるが、テクノロジーの進化によって脱炭素にも対応できるようになる可能性はある。しかし燃料を輸入に頼っており、安全保障上のリスクがある。

【原子力発電】

破滅的な事故の心配があるが、ベースロード電源になることができる。また将来的には、事故の可能性のきわめて低い技術も期待できる。

【太陽光発電】

温暖化ガスを排出せず、燃料も輸入せずに済む。しかしベースロード電源としては使えず、自然環境を破壊する問題もある。


このように整理すると、どの発電がいいのか、あるいは組み合わせたほうがいいのかは、もっと議論しなければいけない難しいテーマであるということがよくわかる。少なくとも「再生可能エネルギー万歳！」と言っていれば、なんとなく環境に関心がある感じがする、というような幼稚なレベルの話ではないのである。

ではこのエネルギーの議論について、マスコミはどう論じているのかを見てみよう。そこに理念はあるだろうか。

朝日新聞の『再エネ、推進か規制か　太陽光発電、各地で苦情』（二〇二一年六月二十七日）という記事の書き出しはこうである。

〈地球温暖化対策として期待される再生可能エネルギー。国や県はその一つである太陽光発電を推し進めるが、大型施設の計画がある地元では、景観問題や住民への説明不足などから苦情があがることも少なくない。〉

しかし朝日新聞は積極的に再生可能エネルギーを推進し、脱原発を訴えてきたメディアである。なのにこの記事では、太陽光による自然破壊と脱原発のバランスをどうとるのかという議論がまったくもって欠落している。社会に対して「エネルギーをどうするのか」「どのようにして原発をやめるのか」と議題を呈示するのであれば、議論の題材に必要な論点をすべて揃えて呈示しなければ、まともな議論は期待できない。メディアに求められているのは、そういう役割のはずである。

しかし新聞は理念もなく、議論の呈示もできず、ただ声高に批判を繰り返すだけの機械になってしまっているのではないか。

反原発派から「理念」は提案されているのか

エネルギーの問題は難しい議論だが、ロシアのウクライナ侵攻で世界的なエネルギー危機が起きてからは、ヨーロッパも「原子力容認」に傾きつつある。ドイツはウクライナ侵攻のあとに脱原発を実行したが、その時点で行われた世論調査では、五九パーセントもの人が原発の停止に反対で、賛成は三四パーセントにとどまっている。

ビル・ゲイツは、先ほどの書籍で原子力を積極的に容認し、こう書いている。

〈「原子力を擁護する主張を簡潔にまとめると次のようになる。原子力は、炭素を排出しないエネルギー源で唯一、地球上のほぼどこでも一年を通じて昼夜を問わず安定して電力を供給でき、大規模に展開できることが証明されている。〉

〈将来、原子力を増やすことなく、アメリカの電力網を手頃な費用で脱炭素化することは想像しがたい。〉

日本では福島第一原発事故の影響もあり、原子力に対する拒否感は非常に強かった。しかし、ウクライナ侵攻のエネルギー危機で電力料金が高騰したこともあって、原子力への拒否感は急速に薄れてきている。二〇二三年二月の朝日新聞による世論調査では、停止中の原子力発電所の運転再開に「賛成」と答えた人が五一パーセントに達し、原発事故以降で初めて過半数になった。こうした世論の後押しもあって、岸田文雄政権は二〇二二年末に原発の新増設を検討するという考えを表明し、政策の大転換となった。

原子力発電のテクノロジーは、一九七〇年代に運転が開始された福島第一原発の頃よりもずっと進歩している。前述のように、小型のモジュール化したＳＭＲならば原子炉をまるごと冷却水のプールに沈める方式で、福島第一のように電源喪失で冷却できなくなる事態になる心配がない。

原発事故は可能性がゼロではない。しかし、地球温暖化・貧困・事故のリスクという三つを天秤にかけ、どこでバランスをとるのかを考えれば、テクノロジーで事故の可能性をできるだけ減らせる原子力を有効に活用し、地球温暖化と貧困の問題をどちらも解決するというのが、リアルで具体的な落ち着きどころだろう。

「原発反対！」「再生可能エネルギー！」「貧困をなくせ！」「地球温暖化をなくせ！」とそれぞれにスローガンを叫ぶのは簡単だが、そういう散発的なスローガンは単なる「脊髄反射」でしかなく、理念としては成立していない。原発を停止し、再生可能エネルギーを推進するのであれば、それによって社会をどう維持していくのかという理念を呈示する必要があるだろう。しかしいまのところ、反原発派からそういう現実的な理念が呈示された形跡はない。

ヒトラーを個の独裁者ではなく「力学」として見る

良き議論は、どのように進めていけば良いのだろうか。

必要なのは、いま起きているさまざまなできごとを立体的に見ることである。

たとえば、アドルフ・ヒトラーを題材にしてみよう。ヒトラーは二十世紀最大の極悪人と言われるが、もしヒトラーがいなかったらユダヤ人へのホロコーストや第二次世界大戦は起きなかったのだろうか？

起きなかった可能性もゼロではない。しかしドイツが当時置かれていた、第一次世界大戦に敗北して巨額の賠償金を科され、経済は破壊的な状況になり、ドイツ国民は窮乏していたという背景事情も知っておく必要がある。そういう困難な状況でかろうじて成立した民主主義的なワイマール共和政は、非常に脆弱《ぜいじゃく》だった。当時の悲惨なドイツでは、ヒトラーでなくても、ユダヤ人を仮想敵として国民を統合しようとしたり、大戦の敗北を乗り越えて他国に侵攻しようと考える別の政治的リーダーが現れてきた可能性は否定できないだろう。

ヒトラーは独裁者だったが、しょせんは一個人でしかない。政治や社会、経済などさまざまな要素が相互作用を起こす壮大な歴史の力学の中で、ひとつの役割を果たした「駒」にすぎないのである。駒がどう動いたのかを観察するのは大事だが、駒がすべてを支配し動かせるわけではない。力学を見ることのほうが大切なのだ。逆に個人の「悪」にすべてを帰して物語を単純化してしまうと、正確な理解を阻むことにもなりかねない。

駒は、歴史にはたくさん登場してくる。それぞれの駒は、唾棄すべき独裁者だったり、だれもが憧れる英雄だったりと多彩だ。日本の幕末から明治維新にかけて登場した駒たちを思い出してほしい。坂本龍馬、伊藤博文、大久保利通、西郷隆盛、勝海舟、近藤勇などさまざまな英雄の名前がすぐに思い出せる。

「龍馬はやっぱりカッコいいねえ」

「いやいや西郷どんでしょ」

「大久保利通は官僚ぽくて人気ないなあ」

「それなら新選組の近藤勇だって」

人物評で雑談して盛り上がるのは楽しいが、駒たちの活躍を楽しんでいるだけでは、なぜ明治維新が起きたのかという力学は見えてこない。なぜならそういう楽しみ方は、駒でしかない英雄たちをカタログにしているだけだからである。これは英雄物語に限らず、情報に触れるときにありがちな落とし穴である。さまざまな情報を集めても、それらをまるで英単語帳のように並べてカタログ化するだけでは、それは単にリストなだけであって、世界を理解する手助けにはならない。

明治維新を理解するためには、江戸時代の農業が限界まで来ていたことや、貨幣経済が発達して商人の力が大きくなり、相対的に武士の権力が衰えていたこと。そして世界では西欧の帝国主義が拡大し、中国やインドシナ半島を越えて日本にまで波及しつつあったこと。さまざまな要素を学ぶ必要がある。それらの要素の相互の力学によって歴史が動き、開国と幕府の解体が進んだということなのである。

これは教養や知識も同じことである。

「プラトンはイデアという概念を考えた」
「キルケゴールは実存主義の創始者である」
「ベンサムは最大多数の最大幸福を唱えた」
「ニーチェは『神は死んだ』と言った」

哲学を学ぼうとして、著名な哲学者の主張や名言をカタログ化しても、哲学の本質を知ることはできない。そういう「教養書」と名乗る本は最近よく目にするが、それは教養ではない。しょせんは雑学やウンチクにすぎない。

「哲学とは何か」を本当に学ぼうと考えるのなら、次のような作業が必要である。それぞれの哲学者が同時代にどう影響し合い、さらに古代に始まった哲学がどのような流れで変化し、近代から現代の哲学へと至ったのかという時系列の歴史とも重ね合わせることで、哲学というものの全体像がだんだんとわかってくる。

それは並列のカタログではなく、壮大かつ立体的なイメージである。その立体イメージの中で、個人の哲学者たちがどういう位置にいるのかをジグソーパズルを埋めるようにして当てはめていくことで、イメージの細部がくっきりと鮮明に見えるようになってくるのだ。

立体的なイメージをつくるためには、あらゆる角度から情報を見ていくことが必要である。

先ほどのエネルギーの話に戻ろう。「再エネ万歳」をスローガンにして言っているだけでは、エネルギー問題についての立体的なイメージはまったく見えてこない。

そうではなく、自然環境への影響やテクノロジーの進化、安全保障からの観点、ベースロード電源という概念の導入など、いくつもの角度からの情報を用意し、それらから多角的に太陽光発電について検討し、そこで初めてエネルギー問題が立体的に見えてくるのである。

あらゆるテーマに同じことが言える。複数の角度からの情報を精査することによって、初めてものごとの全体像が立体となって浮かび上がり、どの要素がどのように全体の中でからみ合っているのかを理解できるようになる。それによって初めて、人はステレオタイプなスローガンや、古くさい時代遅れな「反権力」のような単純な世界観から脱却することができ、理念と理念の折り合いによる真っ当な議論が行えるようになるのである。

第三章 メディアの神話

●新聞の影響力は団塊の世代の退場とともに終わる
●「レモン市場」で考えるフェイクニュース問題
●「職能集団社会」が未来日本の民主主義を支える
●なぜテロリストは「物語化」されるのか

新聞の影響力は団塊の世代の退場とともに終わる

不動産ビジネスで大新聞社は生きながらえている

新聞の衰退が劇的に進んでいる。特に部数減が激しいのは、朝日新聞である。かつて日本のクオリティペーパーとして絶大な影響力を誇った朝日は、二〇二二年に三百九十九万部とついに四百万部を割った。二〇〇〇年頃までは八百万部を超える部数を誇っていたのが、半減してしまったのである。しかも減少幅は加速しており、前年同月比で六十三万部減。この減少幅がこのまま続くのなら、単純計算で六年先には朝日新聞は消滅してしまうことになる。

どうしてこれほどの減少幅になったのかは明らかではない。新聞業界には「押し紙」「残紙」と呼ばれる慣行が昔からある。実際に購読されている部数に上乗せして新聞販売店に届けているというものだ。なぜそんなことをわざわざするのかといえば、見かけ上の公称部数を増やすためである。公称部数を増やせば広告効果を水増しすることができ、広告料金を高値で維持できるからなのだ。

この残紙を整理して正常化すべきであるというのはずっと以前から言われており、実際に新聞各社も残紙を減らすことに取り組んできた。朝日の部数激減はその一環なのかもしれないが、それにしても一年で六十三万部減というのは尋常な数字ではない。

朝日に限らず、他の新聞も大きく部数を減らしている。二〇二一年の数字では、日本国内の新聞のトータル発行部数は三千三百万部で、一年で二百六万部減っている。ピークだったのは一九九〇年代で、その頃はトータル五千三百万部もあった。二十年あまりで二百万部が消滅したのである。

このまま進むと、新聞は業界もろとも消滅するのだろうか。

わたしは、そうはならないだろうと予測している。資産が少なく、以前から足腰が弱いと指摘されている毎日新聞や産経新聞はいずれ命脈を絶たれる可能性は大きいだろうが、朝日新聞や読売新聞は新聞本体だけでなく、不動産ビジネスでもかなり儲けている。

朝日新聞では、新聞などのメディアビジネスが売上高では一千億円以上もあり依然として巨大だが、実際には利益は少なく、あまり儲かっていない。利益額ベースでは五十億円を超えることはなく、利益率では二パーセント以下なのである。赤字になっている時期もあり、黒字化するために記者の数を減らし、人件費を削減してコストカットしているというのが現状のようである。

いっぽうで朝日の不動産ビジネスは、新型コロナ禍で足踏みもあったものの、五十億円前後の利益を確保しており、利益率も二〇パーセント近い。

朝日に限らず全国紙はどこも、一等地に本社や支社をかまえている。歴史的にはそれらは国有地を安価に払い下げてもらったという政治の暗部が見え隠れしている。新聞はこれらの土地を有効活用し、貸しビル業で利益を出してきたのである。このため「不動産屋が新聞を出している」などと昔から揶揄《やゆ》されてきたのだが、これが冗談ではなく現実になろうとしているのがこれからの新聞業界である。

不動産を豊富に持つ新聞社は、これからも堅調な不動産ビジネスを成長させていき、その利益で新聞ビジネスを維持するという方向に収まっていくのではないかとわたしは考えている。いまはまだ新聞記者の人員削減などをさかんに行っているが、いずれは損益分岐点で安定する時期が来る。しかし、その時点では発行部数は信じられないほどに少なくなっており、予算不足で取材力も落ちているだろう。

実際、わたしがかつて記者として仕事をしていた毎日新聞では、都市部での取材でもタクシーは使えなくなり、もっぱら電車などの公共交通機関を使うようになったという。「そんなの当たり前だろう」と受け止める人も多いだろうが、大規模な事故や災害、大量殺人などの現場では取材の機動力が欠かせない。電車やバスで移動していては、取材の生産性は著しく下がってしまう。

取材予算が減らされれば、遠隔地への出張もできなくなる。取材では場合によっては取材先との飲食も欠かせないが、この費用も出せなくなる。あらゆる点で、密度の高い取材は難しくなっていく。毎日新聞に限らず、新聞社はどこも厳しい取材費カットを強いられており、取材費は年々減らされている。記者ひとりひとりの士気にも大きな影響が出ているという。

このような悲惨な状況で、質の高い記事が量産できるわけがない。

大手紙のウェブ進出をめぐる明と暗

この状況を打破するため、新聞各社はウェブ版を有料にするなど、不動産ビジネス以外にもさまざまな策を打ち出している。しかし有料化をうまく軌道に乗せているのは、日本経済新聞などに限られ、一般紙は苦戦している。

ウェブに移行するのは歴史的必然だが、無料のメディアを広告だけで維持するのは非常にむずかしい。有料化こそが黒字化の道であるというのは、経営的な視点ではその通りだろう。しかし有料化を軌道に乗せるためには、三つの条件がある。

第一に、「このメディアでなければ読めない」という専門性があること。
第二に、記事の品質が高く、良いユーザー体験があること。

第三に、ウェブに進出することで、潜在的な読者を獲得できる可能性があること。

日本経済新聞が有料化に成功しているのは、経済の専門紙だからだ。これは海外でも同じで、イギリスのエコノミスト誌やフィナンシャルタイムズ紙も有料化に成功している。とはいえ、専門紙しか有料化は成功できないというわけではない。一般紙の成功としては、米ニューヨークタイムズが有名である。なぜニューヨークタイムズが有料化を軌道に乗せられたのかといえば、記事の品質が高く、ウェブの見やすさも究極にまで追求しているからだ。もう一つの特殊な要因として、ニューヨークタイムズはニューヨークの地方紙でしかなかったということもある。日本の朝日新聞や読売新聞と違い、全米で読めるわけではなかったのである。その地方紙がウェブに進出したことで、全米どころか世界中の英語読者が読めるようになった。そのポテンシャルが高かったので、有料化で成功できたのである。

これに対して日本の一般紙の記事が、海外の読者に広く読まれる可能性は低い。そして専門性でも品質の高さでもウェブのユーザー体験にしても、いずれも決定的に弱い。

朝日新聞はかつては日本のクオリティペーパーと呼ばれ、記事の品質の高さを売りにしていた。現在でも、ウクライナ侵攻に見るような国際報道には評価が高い。しかし国内の社会問題についての報道では、残念ながら左派イデオロギーに極端に傾斜してしまい、フアクトをないがしろにしてしまっている記事が多数を占めるようになってしまった。

一例が、福島第一原発事故の後に連載されたシリーズ「プロメテウスの罠」だろう。福島から遠く離れた東京都町田市で、子どもが鼻血を出したという話を紹介し、「こうした症状が原発事故と関係があるかどうかは不明だ」と思わせぶりに書いたり、広島の原爆で被爆者治療に当たった老医師の「これから福島で被曝で苦しむ人がたくさん出る。彼らは、自分にどんな影響が出るのか分からない」というコメントを掲載したりした。いずれも根拠のないニセ科学である。このような風評被害を生み出す記事がそのまま掲載されてしまったことに、クオリティペーパーではなくなった朝日新聞の凋落が象徴されている。

この極端なイデオロギー傾斜はなぜ起きたのか。

背景には、新聞の読者が高齢化したことがある。

だれもが知っていることだが、新聞を読んでいる人は、いまやたいてい高齢者である。新聞通信調査会などの調査によると、三十代は三割しか新聞を購読していないのに対し、六十代以上は八割が新聞を読んでいる。ボリュームゾーンとして大きいのは、戦後間もない頃に生まれた「団塊の世代」の人たちである。この世代は一学年が二七十万人近くもいる。二〇二二年に生まれた子どもはついに八十万人を割っており、単純計算でも三・五倍ぐらいの人数。団塊の世代をトータルすれば、一千万人以上もいる巨大なボリュームである。

団塊の世代は一九六〇年代末の学生運動を闘い、七〇年代以降は社会人になって「ニューファミリー」「お友達夫婦」といった核家族時代の新しいファミリー像を生み出した。一九八〇年代末のバブルの頃に管理職として経費使い放題、タクシー乗り放題の旨みをさんざん味わえたのも、この人たちである。最初の団塊世代である一九四七年生まれが六十歳になる二〇〇七年には、「団塊の世代が大量に退職すると、仕事のノウハウやスキルが継承されにくくなる」と心配され、「二〇〇七年問題」という言葉もあった。しかしインターネットでは、この二〇〇七年問題は別の意味を持っている。退職した彼らが大挙してツイッターなどのSNSに群がるようになったのである。当初は静かで楽しい遊び場だったツイッターが二〇一〇年代に政治化し、過激な空間になっていったのは、団塊の世代の流入が原因ではないかともささやかれている。

新聞社の中立性を失わせた団塊読者へのおもねり

二〇一三年には「アクティブシニア」ということばも生まれた。たとえば、その年の総務省の情報通信白書には、『変わる高齢者像　アクティブシニアの出現』という項目で以下のように記されている。

〈一般的に、高齢者は加齢とともに、その身体機能や認知機能が低下するといわれるが、身体機能や認知機能に若干の衰えがあったとしても、逆に向上する能力もあるとの指摘もある。

認知能力については、その加齢による変化について、短期記憶能力は50歳を境に急激に衰える一方、日常問題解決能力や言語能力は経験や知識の習得に伴ってむしろ向上するとの研究成果があり、身体機能についても、1992年時点での高齢者の歩行速度に比べて2002年の高齢者の歩行速度は速くなっており、男女とも11歳若返っているとの研究成果がある。〉

二〇一三年は、団塊の世代が六十五歳以上の高齢者になりはじめた年である。それ以前の世代の高齢者と異なり、彼らの消費行動は非常に活発だった。政治への関心も高い。アメリカなどでは二〇〇〇年頃から急速に新聞が衰退し、休刊する地方紙が続出していたが、日本では新聞の衰退が遅れたのはアクティブシニアが新聞を支えていたという構図もあったのかもしれない。二〇〇〇年代に高齢者中心の政治が「シルバー民主主義」と批判されてきたことは、団塊の世代がメディアや政治に大きな影響力を保ったことと無縁ではない。

そして新聞の部数が急激に減っていく中で、新聞は減りゆく読者に迎合するようになり、団塊の世代に受ける左派イデオロギーへと偏重するようになった。これが全国紙の中立性を失わせ、さらに部数の減少と影響力の低下を招いていっているのだ。

二〇二〇年代なかばになって、団塊の世代は後期高齢者に入ろうとしている。アクティブシニアだった彼らの活動は加齢とともにおだやかになっていき、やがて衰えていくだろう。これに歩調を合わせて、新聞業界の衰退も加速していくのである。


新聞の世論への影響力はいつまで保たれるのだろうか。

メディアのパワーは、必ずしも実態を伴うわけではない。現時点でも新聞が実際には影響力を減らし、ツイッターなどのSNSのほうが世論への影響力を高めていたとしても、たとえば永田町の政治家たちが「新聞には影響力がある」と信じていれば、それが幻想であっても影響力は維持されてしまうのである。政治が「新聞や団塊の世代に慮《おもんぱか》らなければならない」と考えているうちは、新聞の影響力は続いていくだろう。

とはいえ、昨今の自民党のSNS対策を見ていると、この政権与党は新聞からツイッターなどのSNSへとかなり軸足を移してきていることもうかがえる。永田町が「新聞にはもはや影響力はない」と認識する日は、そう遠くないのかもしれない。


新聞衰退後の日本社会のメディアはどうなっていくのだろうか。

SNSの影響力は今後も拡大していくだろう。「X」と名称を変えたツイッターはイーロン・マスクが買収したあとに混乱しており、未来は不透明だが、ツイッターが衰退したとしても別のSNSがそのメディア的な役割を代替するようになるのではないだろうか。良くも悪くも「だれでも発信できる」「だれでも反論できる」という風穴をメディア空間に開けたSNSは、容易に存在意味を失うことはないのだ。

テレビやラジオは、ビジネスとしては今後も生き残っていくだろう。テレビの広告売上はネット配信の増加などで減少しているが、ドラマやバラエティなどの制作力は依然として強い。二〇二〇年代に入ってアクティブシニア市場に陰りが見えてからは、ターゲットを高齢者から若年層に移してきている。背景には視聴率調査が世帯視聴率から個人視聴率へと変わったこともある。この結果、十代から二十代の若者たちを惹きつけるドラマも多く登場してきている。テレビ局の底力と言えるだろう。

地上波を見る人は減っていくだろうが、やがてテレビのプラットフォームは全体としてネットに移っていく可能性はある。ネットの動画サービスとしてはネットフリックスやアマゾン・プライムビデオ、ディズニープラスなど海外勢の強豪が控えているが、日本の地上波テレビ局が協力して立ち上げたネット配信サービス「TVer」もすでに五千万ダウンロードを超えており、成功を収めつつある。

この堅調なコンテンツビジネスに支えられるかたちで、テレビの報道部門も維持されていくのではないだろうか。その先には、テレビとＳＮＳとがなんらかの相互作用を起こし、連携し、その交わるところでメディア空間という社会の公共圏は維持されていくのかもしれない。専門家がＳＮＳでさまざまな見解や意見を発信し、これをテレビが集約してさらに議論を深めるというような相互作用もあり得るだろう。

マスメディアの機能とはなんだったのか

マスメディアの機能とは、そもそもどのようなものだろうか。おおむね以下の四つがあるとされている。

（１）一次情報を取材し、記事化して読者に伝える「情報伝達」
（２）さまざまな一次情報から、読者に必要な情報だけをフィルタリングして選ぶ「情報集約」
（３）独自の調査報道による「権力監視」
（４）情報の評価や意味づけを行い、世論を喚起する「アジェンダ（議題）設定」

この四つはＳＮＳだけでは代替できない。ＳＮＳでほぼ代替できているだろうと言えるのは、「情報伝達」「情報集約」の二つだけである。「情報伝達」については、たとえば政治家や官公庁、企業などの発信するものであれば、ネット上のプレスリリースやツイッターの公式アカウントで十分にカバーされるようになっている。芸能人の結婚や離婚の報告も、最近は本人がＳＮＳに投稿するのが当たり前になっている。

災害や事件の現場の一次情報についても言うまでもない。事故現場の写真や動画を撮影したツイッターのユーザーに対してテレビ局や新聞社が提供を依頼する、というオープンな光景はすっかりお馴染みになった。

この変化をまざまざと見せつけた最初のケースは、二〇一一年の東日本大震災である。津波の恐怖が生々しく、ライブ動画で現地から伝えられ、日本中の人々が震撼したのは記憶に新しい。

こうしたＳＮＳでの経験の積み重ねによって、新聞記者が現場周辺の住民にコメントをもらうような「現場雑観」記事はあまり意味をなさなくなった。

「情報集約」も、ＳＮＳでさかんに行われている。わたしは二〇一一年の著書『**キュレーションの時代**――**「つながり」の情報革命が始まる**』（ちくま新書）で、情報が加速度的に増えたインターネットの時代には、情報を取捨選択してくれる「ハブ」のような存在が必要になってくると書いた。スマートニュースのようなニュースアプリや、わたしも毎朝のように続けているが、ＳＮＳでさまざまな記事を紹介してシェアするという行為は広く行われている。

新聞やテレビのニュース番組を見ているだけでは、的確な情報を得られる時代ではなくなっている。それは新型コロナ禍やウクライナ侵攻をめぐるメディア報道を見ても明らかである。ＳＮＳが完璧な情報集約機能を果たしているとは言えないだろうが、新聞やテレビはそれ以上に情報集約機能がうまく働かなくなっている。

いっぽうで、四つの要素のうち「権力監視」と「アジェンダ設定」はＳＮＳには難しい。権力監視は、高いプロフェッショナリズムと長期の取材、かなりのコストのかかる取材である。インターネットの情報は多くが無料だが、これは発信する側が情報にそれほど予算はかけられないということと裏腹なのだ。ひとつの調査報道記事に数十万円もの取材費を使うようなことは、残念ながらネットではまったく現実的ではない。

「アジェンダ設定」はどうか。インターネットでは弁護士や会計士、大学教員、企業経営者といったさまざまな専門家が情報を発信している。彼らの専門的知見は、新聞記者の解説記事のレベルをはるかに超えている。だからネットを横断的に読んでいれば、多くの知を吸収できるのは間違いない。

しかし問題は、これらの知見が「分散」してしまっていることである。情報量に制限のない広大なインターネットは、あらゆるものが拡散し、分散していくという特徴がある。集約するという機能がもともと備わっていないのだ。逆にマスコミは、情報が集約されていくという機能を自然に持っている。新聞の紙面は限られているし、テレビは一つのチャンネルで同時に一つの番組しか放送できず、一日の放送枠は限られている。だから「NHKの午後九時のニュースの冒頭に取りあげた」「朝日新聞の一面トップ記事になった」というニュースは人々の注目を集め、「いまこの問題が重要な議題になっているのだ」ということを人々に広く知らせる権威を持つことができる。

このような集約の役割をになうのが、次世代のマスコミの大切な仕事であるとわたしは考えている。現場の情報はいくらでもＳＮＳ経由で流れてくるし、専門家の知見もＳＮＳで読むことができる。それらをうまくまとめあげて、「いまこの問題がＳＮＳでの議論になっており、重要だ」と広く知らせる役割である。

米国のジャーナリスト、ジェフ・ジャーヴィスは二〇二二年のブログ記事（https://buzzmachine.com/2022/10/10/habermas-online/）で、マスコミの役割を「世論を形成することではなく、世論に耳を傾けることだ」と書いている。

専門家の知見や世論の動向は、インターネット上に広がっている。それらを集約して、政治に橋渡ししていく役割こそが、次世代のマスコミに求められているのである。メディアの訳語は「媒体」という意味で、もともとは情報を流すパイプのようなものを意味している。しかしこれからのメディアは単に情報を流すパイプだけでなく、専門知や世論を集めて集約するという「プラットフォーム」的な仕事が求められているのである。

「レモン市場」で考えるフェイクニュース問題

メディアは不確かなものであふれかえっている

「レモン市場」という経済用語がある。果物のレモンではなく、アメリカのスラングで「質の悪い中古車」をレモンと呼ぶのだという。中古車はボディやエンジンルームを磨き上げておけば品質がよく見えてしまうので、過去に事故を起こしたクルマをだまされて売りつけられても、客は気づきにくい。こういう質の悪い中古車を売りつける業者が横行すると、中古車市場は全体に質が落ちてしまうことになる。これが「レモン市場」である。レモンは皮がぶ厚く、外見から中身の見分けがつかないことから、そう名づけられたらしい。

レモン市場になってしまうのは、売る側と買う側に「情報の非対称」があるからだ。売る中古車ディーラーは、どのクルマの質が悪いのかということをあらかじめ知っている。しかし素人の客は、実際に購入して毎日のように乗ってみなければ、そのクルマの品質を知ることができない。

ここで客をだますタチの悪い中古車ディーラーが増えると、レモン市場になってしまう。そうすると中古車市場に出まわるクルマが質の悪いモノばかりになり、客は中古車を買いたがらなくなる。すると中古車市場そのものが衰退してしまう。結局は、中古車ディーラーも損をすることになる。だから中古車ディーラーは品質の良いクルマを販売し、レモン市場にならないように努力したほうがいい。

とはいえ、質の良いクルマを適正な価格で提供している善きディーラーがたくさんいるいっぽうで、「自分だけは得をしよう」と質の悪いクルマを売る悪徳ディーラーが少数存在したらどうなるだろうか。その質の悪いクルマは、情報を知らない客に売れてしまうので、善きディーラーは損をしてしまうことになる。だから悪徳ディーラーをどうやって儲けさせないようにするのかが、市場を公正に運営し、市場規模を伸ばすための重要な課題ということになる。

このレモン市場は、実は世界的にいま問題になっているフェイクニュースにも当てはまる。

インターネットが普及していなかった一九九〇年代までのマスコミ時代には、新聞やテレビの発信するニュースを多くの人が「たいていは信用できる」と捉えていた。問題は本当に信用できる事実だけを報じていたかどうか、ではない。当時だってインチキな記事や誤報はたくさんあったはずだ。しかし、ネットがなかった頃はそういう誤報は人々のあいだであまり共有されていなかったから、大多数の人は「新聞やテレビの報道は、まあだいたいは正しいだろう」とそこそこ信用していた。

そういうことを書くと、すぐに「新聞やテレビは昔からひどかった！　正しいわけがない！」と口角泡を飛ばす人たちが現れる。しかし、そうではない。事実として新聞・テレビの報道が正しかったかどうかではなく、「みんなが正しいと思っていたかどうか」のほうが重要なのだ。たいていの人が「新聞・テレビはまあ正しいだろう」と思っていれば、新聞・テレビという市場の信頼度は維持することができていた。つまり、レモン市場にならずにすんでいたということなのである。

ところが二十一世紀になってインターネットが普及し、ブログやSNSの手助けによって専門家が自力で情報を発信できるようになる。それまでみんなが漠然と信じていた新聞・テレビの報道が、かなりあやしく不確かなものであることが明らかにされてしまう。さらにネット自体にも、あやしい陰謀論やデマがあふれかえるようになる。新聞・テレビであれネットであれ、流れてくる情報そのものがたいていはあやしいものなのだということが認識されるようになってきた。要するに、新聞・テレビにネットも含んだメディアの全体が不確かなものであふれかえっていることがわかってしまった。

つまり、メディアというのはレモン市場なのだということが暴かれてしまったのである。中古車市場がレモン市場になってしまうと、客はだれも市場を信頼しなくなり、市場そのものが衰退してしまう。それと同じようにメディアもレモン市場であることが明らかになってしまうと、最終的にはだれもメディアのことを信じられなくなってしまう。そういう問題が起きてくるのだ。

評価基準の違いで食い違う二つの事実

実際にしばらく前から、フェイクニュースがあふれかえったことで「フェイクニュースにだまされる人が増える」だけでなく、「ニュースそのものを皆が信じなくなる」ということが指摘されている。何が正しく何が間違っているのかを個人では判断できないから、そもそもニュース全体を信じないようにしようというマインドに進んでしまうということである。これこそがレモン市場化の深刻な問題である。

くわえてメディアの世界は、中古車のレモン市場よりもさらに深刻である。なぜなら、中古車なら「このクルマが事故車かどうか」を、少なくともディーラーの側は事実を知っている。クルマがナンバーで登録されて警察に事故の届け出がされていれば、事故車かどうかは隠しおおせない事実である。

しかしメディアの世界では、何がフェイクで何がフェイクでないのか、はっきりしないことが多いからだ。

なぜか。

評価の基準がずれていて、「事実かどうか」が明白ではない場合があるからだ。たとえば食べログのようなクチコミ評価サイトでは、「点数が高い店は美味しい」と常識的には思われている。しかし同じ点数であっても、比較的富裕な大人がたくさん集まる上品な街と、お金はないけれど体力を持て余している学生街のお店では、評価基準がまったく違う。上品街では値段は高いけれど質の高い凝《こ》った料理がランキング上位になるのに対し、学生街では量が多くて安い店がランキング上位を占めるだろう。上品街に、うっかり量が多くて安い店が進出してしまい「ここは美味しくない」と低い点数をつけられたとしても、その評価は正しいとは限らない。

「美味しい」という評価には、個人差が大きい。たとえば「美味しい」を説明するのに「味が濃い」「濃厚」と形容する人をよく目にするが、関西出身で薄味の好きなわたしから見れば、「濃厚が美味しいって、いったい何を言ってるんだ?」と思ってしまう。逆に味の濃い料理が好きな人が関西に来て、薄甘い煮物などを食べると「味がしない。まずい」と感じるのではないか。

この「評価基準のズレ」の問題は、福島第一原発事故の「甲状腺がん多発」というニュースにも当てはまる。これは事故のあと、福島県が県内の子どもたちに甲状腺がんの検査を実施したところ、三百人近い子どもたちからがんが見つかったというニュースである。

「三百人近い子どもたちからがんが見つかった」というのは事実である。しかしこの調査結果がニュースとして流れたあと、多くの医師や研究者からは批判の声が出た。甲状腺がんの発見率は福島と他の県をくらべても変わらず、つまり「過剰診断だった」という指摘が出たのだ。「それでもがんはがんじゃないか、発見したら治療しないとたいへんなことになる」と思う人もいるだろう。しかし、そうではない。ここで大阪大学の医学系研究科甲状腺腫瘍研究チームがウェブで発信している情報を紹介しよう。

〈(甲状腺がんは)※編集部注 なぜかある程度で成長を止めてしまうため一生患者に悪さをしないものが多数存在することが証明されるようになりました。これらのがんを若年型甲状腺がんと呼びます。このようながんをあまり早い時期に見つけてしまうと、患者に本来不要であった手術を施してしまうことになります。これが過剰診断です。〉
(https://www.med.osaka-u.ac.jp/pub/labo/www/CRT/OD.html)

つまり手術不要ながんまでをも見つけてしまって、子どもやその親に余計な不安を与えてしまう問題が起きているのだ。

「原子放射線の影響に関する国連科学委員会」（ＵＮＳＣＥＡＲ）も二〇一三年の報告書で、原発事故の健康への影響は「心理的・精神的な影響が最も重要だと考えられる。甲状腺がん、白血病ならびに乳がん発生率が、自然発生率と識別可能なレベルで今後増加することは予想されない」と明白に書いている。

「甲状腺がんが多発している」のは事実である。同時に「多発しているのは過剰検査で発見してしまったからだ」というのも事実である。しかし、この二つの事実は衝突してしまう。それぞれの事実が食い違うのは、「何を問題にするのか」という評価規準がずれているからである。「がんが多発しているのはたいへんだ」という評価基準なのか、「健康被害は起きているのかどうか」という評価基準なのか。そういう違いである。

このようにいまのメディア空間には、何が正しいのかをだれも判断できないような情報が増えてきている。中古車のレモン市場では、事故車かどうかの情報はディーラーだけが握っていた。しかしメディアのレモン市場では、ある情報が誤っているかどうかをすべて知っている「ディーラー」は存在しない。レモン市場より酷いのである。

正しさを見抜くために私が実践している方法

では、情報の正しさを見抜く方法はもはや存在しないのだろうか。

残念ながら、完璧な方法はない。しかし「ある程度は確実と言える方法」はある。それは「専門家を群れで観察する」という方法である。

専門家といっても、ただひとりの専門家を信頼するのは危うい。二〇二〇年からの新型コロナ禍を思い出してみればいい。テレビのワイドショーなどには、「専門家」という肩書のついたあやしげな人がたくさん出演していた。あやしいといっても一応は大学教授などの肩書を持っているので、肩書だけではその人の発言を信用していいのかどうかはわからない。

そこで重要なノウハウとして浮上してくるのは、ただひとりの専門家ではなく、専門家を「群れ」で見るということなのである。

ひとりの専門家は、一見してどんなに優秀で誠実そうでも、その人の発信が正しいかどうかは門外漢にはわからない。医療など専門性の高い分野では特にそうだ。しかし信頼できる専門家はたいていの場合、他の信頼できる専門家たちから信頼されている。そういう人間関係などが見えてくると、その分野の門外漢でも「何が正しい情報か」がうっすらとわかるようになってくるのである。

二〇二二年に起きたロシアのウクライナ侵攻を教材にしよう。軍事や安全保障はたいへん専門性の高い分野で、素人にはわからないことが多い。専門用語も多い。そこでわたしは侵攻が始まる少し前から、外交・安全保障や軍事の研究者、国際情勢にくわしいジャーナリスト、ウクライナに住んでいる現地の邦人などのツイッターをていねいに読むようになった。そして彼ら彼女らのアカウントを収集し、ツイッターのリスト機能を使って「ウクライ

ナ情勢　専門家／現地報告ウォッチ」（http://twitter.com/i/lists/1496721360294653957）という名前のリストを作成した。ここにはいま五十人ぐらいのアカウントをリストアップしている。一般にも公開し、六千人近い人にフォローしていただいている。

このリストをどうつくったのかを、具体的に解説しよう。まずベースとなる原則は次の三つである。

①専門家は専門家同士でつながっている
②他の専門家へのリスペクトを持っている
③専門家は公式な専門用語をきちんと使う

この三つは、ウクライナ侵攻だけでなく、あらゆる分野に当てはまる。

①専門家は専門家同士でつながっている

どんな分野でも専門家同士の交流があり、共同で研究したり共著を出したりシンポジウムで議論していたりする。そういう「人間関係」を見るのである。

たとえば、ある専門家がツイッターで他の専門家のツイートを繰り返しリツイートして、リプライで好意的なコメントを送っていれば「この人たちはつながっているんだな」とわかる。逆に、他の専門家とつながっていない「孤立した専門家」は避けるのが無難である。

②他の専門家へのリスペクトを持っている

どんな分野でもそうだが、プロフェッショナルにはプロフェッショナル同士の「敬意」がある。学問の分野では、専門家になればなるほど、腰が低くなることがある。

学会などの質問で「超」がつく専門家になればなるほど、壇上で発表している人に質問する際に「この分野は素人なのですが」と前置きしたがる現象は有名である。逆に、他の専門家を罵倒しているような人は避けたほうがいい。

③専門家は公式な専門用語をきちんと使う

学問分野では、専門用語はきちんと定義されていて、言葉の揺れは少ない。だから、「ていねいに専門用語を使っているかどうか」は、その分野の見識がきちんとある専門家かどうかの目安になる。逆に「真実」とか「正体」とか「御用学者」とか「亡者」とか「ディープステート」とか、陰謀論にありがちな用語を頻繁に使っているような人は、専門家ではない。

この三原則をもとに、ツイッターのリストをつくっていくのである。最初に行うべきは、

「スタート地点」となるアカウントを決めることである。実は、ここがいちばん難しい。
ポイントは、スタート地点のアカウントを一つだけでなく、二つつくることである。

①自分が以前から著書などを読んで「信頼できる」と感じている専門家のアカウント

②公的な研究機関などのアカウントや、その分野で権威のあるメディア

ウクライナ侵攻の場合、①についてわたしは三人を選んだ。『**倫理的な戦争―トニー・ブレアの栄光と挫折**』（慶應義塾大学出版会、二〇〇九年）という著書のある慶應義塾大学の細谷雄一教授、『**「帝国」ロシアの地政学―「勢力圏」で読むユーラシア戦略**』（東京堂出版、二〇一九年）でサントリー学芸賞を受賞している東京大学の小泉悠氏、地政学の大家エドワード・ルトワックの本の翻訳で知られる奥山真司氏。いずれもわたしが深く感銘を受けた本を出されている人たちである。

この三人のツイッターのアカウントをまず「ウクライナ情勢」リストに入れ、追いかけていくことにした。そして三人のリストを見ながら、彼らが書いている記事だけでなく、三人が紹介している他の専門家の記事などを読む。これら専門家のアカウントを探してリストに追加し、さらに彼らがツイッターでリプライを好意的に送っているアカウントなども、随時リストに追加していくという方法を採った。

つまりは「芋づる式」のリスト作成である。

しかし、この方法には実はひとつ難点がある。それは、「スタート地点でうっかり陰謀論者にはまってしまうと『芋づる式』に陰謀論のサークルにはまり込んでしまう」危険性があるということである。

陰謀論の人たちは、陰謀論の人たち同士で仲良くしていることが多い。ウクライナ侵攻でも、ロシアのプロパガンダを鵜呑みにして陰謀論にはまっている人たちが、お互い仲良くリプライを送り合っているのをよく目にした。

このような陰謀論のサークルにはまり込んでしまう危険性を避けるにはどうするか。ここで②の「公的な研究機関などのアカウントや、その分野で権威のあるメディア」が必要になってくる。

ウクライナ侵攻では、わたしは防衛省の防衛研究所に注目した。公的機関なので、そこに所属する研究者ならおおむね信頼できるのは当然のことである。そして侵攻の少し前から防衛省のガイドラインに変更があったようで、公務員である防衛研究所の研究者たちが自由にツイッターなどで発信するようになっていた。ここの研究者たちはその後、テレビなどのメディアにも積極的に出演し、良質な分析や見解を発表してくれるようになった。

ただし気をつけなければならないのは、公的機関の人であっても「現役の研究者」「現役の職員」にしておいたほうがいい。なぜなら、ごくまれに権威ある機関を引退した人が、陰謀論者などに「闇落ち」してしまうケースが起きるからである。

ウクライナ侵攻では、引退した日本の元外交官が「ウクライナ政府が親ロシア住民を虐殺」といったあやしいニュースをさかんに流すというできごとがあった。この人は同時に、「真実」「正体」「ディープステート」などの陰謀用語がタイトルにちりばめられた本を大量に刊行している。まったく信用ならない。

防衛研究所ともう一つ、アメリカの外交問題評議会が出している雑誌の日本語版『フォーリン・アフェアーズ・リポート』も②の「権威あるメディア」として押さえた。この雑誌は外交関係の雑誌としては強い権威がある。どこまでもアメリカの視点で書かれているというバイアスはあるけれども、そのバイアスを理解したうえで読めば、非常に信頼が置けるのは間違いない。

「ウクライナ情勢」リストに入れて追いかけている専門家たちの投稿を、この雑誌で書かれている記事の論調と比較していくのがポイントである。アメリカの外交視点と日本の研究者の視点は異なるので見解の違いはもちろん出てくるが、「現状をどう分析しているのか」というところが合致していれば安心していい。

このようにして作成した「ウクライナ情勢」のリストは、随時アカウントを追加したりしながら、いまも毎日追いかけている。事態が大きく動くとツイートの数は増え、時に一日に数百にもなるが、このリストの投稿を追いかけ、ツイートで紹介されている記事なども読めば、ウクライナ侵攻の全容を俯瞰でき、専門家たちが現状をどう分析し、今後どうなると予測しているのかをつぶさに知ることができる。

くわえて紹介されている記事や本を読むことで、ロシアとウクライナの関係などの歴史もきっちり学ぶことができている。

「職能集団社会」が未来日本の民主主義を支える

レジ袋有料化における「啓蒙」という上から目線

二〇二〇年の「レジ袋の有料化」は、大きな議論になった。エコバッグを自前で用意してスーパーやコンビニに行くのが当たり前になり、「レジ袋は買うものだ」という意識はたしかに根づいた。しかしこれが廃プラスチックの削減につながっているかというと、実際にはほとんど効果はない。当初から指摘されている周知の事実だが、レジ袋が廃プラスチック全体に占める割合は数パーセントぐらいしかないからである。

逆に、レジ袋有料化による副作用も多い。スーパーでの万引きが増えたことや、エコバッグを製造するほうがレジ袋よりも環境負荷が大きい問題、コンビニのカウンターでの手間が無駄に増えたこと。これらはいずれも予想された事態ではある。

それでもなぜ日本政府はレジ袋有料化に踏み切ったのか。環境省は「レジ袋の有料化をきっかけとして、使い捨てプラスチックに頼った国民のライフスタイル変革を目指していく」と説明している。つまり「啓蒙活動」なのである。

この「啓蒙」ということばは、冷静に考えれば古くさい用語である。啓蒙は「蒙《もう》を啓《ひら》く」という意味である。「蒙」は、頭の悪い愚かな人という意味である。モンゴルのことを古くは「蒙古」と言ったが、これは昔の中国がモンゴルのことを「おろかで古い」とバカにしたことから名づけられた名称である。

教養のない愚かな人を指す「無知蒙昧《もうまい》」という単語もある。啓蒙は、そういう頭の悪い人を教え導いてあげるという意味なのである。環境省は「廃プラスチック問題を何もわかっていない愚かで頭の悪い国民を、教え導いてあげる。レジ袋有料化は廃プラ削減にはほとんど効果はないけれど、それで国民の蒙を啓かせてやろう」ということである。

環境省がそこまで意識的に国民をバカにしているわけではないと思うが、しかし「啓蒙」ということばには、そういう意味が込められていることを政府は意識したほうがいいだろう。

しばらく前に記者やジャーナリストなどメディア関係の人間を集めた座談会が、ツイッターのスペース（リアルタイムで音声の会話ができ配信できる機能）で開かれたことがあった。わたしが「最近はマスゴミなどと呼ばれて、報道機関への信頼が失墜している。本来の報道は社会に必要なもののはずなのに、理解されていないのは深刻な事態ではないか」と発言したところ、これに出演者のひとりが「もっと報道の大切さを国民に啓蒙しないとダメだと思う」と返してきた。メディアの業界には、このようなことを無批判に思っている人が少なくない。「愚かな大衆だからマスコミが指導しなければならない」という意識なのだ。

しかし二十一世紀の日本社会は、前世紀のような愚かな大衆社会ではない。

ここは誤解されるといけないのだが、全員が有能だとか頭がいいと言っているのではない。頭の悪い人ももちろんいる。そうではなく、SNSの普及によって、社会の中に散らばっているさまざまな専門家や職業人たちの「専門知」が表に出てきやすくなったということなのである。

これを「職能集団社会」と呼ぼう。職能というのは、ある職務を遂行する能力のことで、そういう能力を持った多様な集団が社会を構成しているという意味である。

職能集団社会に対して「啓蒙する」というのは適切ではない。なぜなら職能集団社会は「蒙」、つまり頭が悪い愚かな人たちの集まりではないからだ。

啓蒙ではなく、みんながそれぞれの職能にもとづいた知を持ち寄って、そこで議論ができるような場をつくっていくほうがいい。レジ袋有料化でも、国が「上から目線」で啓蒙するのではなく、国やマスコミが「廃プラを減らすのにはどうすればいいでしょう」という提示を行い、それをもとに職能集団社会が議論をしていく。そういう方向に進んでいくのがいいのではないだろうか。

対立軸がますます複雑化するメディア空間

ＳＮＳやマスコミを含めて、さまざまな情報が行き交う場所を「メディア空間」と呼ぶ。二十一世紀のメディア空間の特徴をいくつか挙げれば、以下のようなものがある。

（1）ＳＮＳというだれもが発言できるプラットフォームが普及したこと

（2）みずからの考えをわかりやすく文章にして伝える「言語化スキル」が、多くの人に広まったこと

（3）社会がきわめて複雑になり、古くさい素朴な世界観では把握できなくなったこと

ＳＮＳが普及したことについては、いまさら言うまでもないだろう。大事なのは（２）の言語化スキルである。わたしはまだネットがほとんど広まっていなかった時代に新聞記者をしていたが、その頃は一般社会の人たちの言語化スキルはかなり低かった。たとえば新聞社に届く読者はがきを見ても、まともな文章を書く人は本当に少なかったのである。一部の仕事を除けば、日常的に文章を書く習慣などほとんどなかったのだから当然だ。

これがメールやメッセンジャー、そしてＳＮＳの普及によって、毎日のように大量の文章を読み、書くというのが当たり前になった。これは一般の日本人の読み書き能力において、革命的なできごとだったのだ。文章を仕事にしているわけでもないのに、その結果、舌を巻くほど巧みな文章を操る人がたくさん現れ、SNSやブログ出身でプロの書き手になる人も非常な勢いで増えたのである。

そして（3）の社会が複雑になったということ。振り返ってみれば、前世紀の日本社会はわりと単純な構図だけで議論されていたように思う。「大衆vs.エリート」「権力vs.反権力」「マイノリティvs.マジョリティ」といったシンプルな対立軸で語っておけば、なんとなく社会を説明できてしまうような気がしていたのである。これは実際には社会がリアルに単純だったということではなく、経済成長が続いて富の分配がある程度はできている状況では、その程度のシンプルな構図で説明しても、さほどだれからも文句は言われなかった……という身もふたもない構図だったのである。

しかし日本社会は二十一世紀に入る頃から不況になり、配分できる富も少なくなった。しかもパワーが分散して、だれがマジョリティでだれがマイノリティなのかも不透明な状況になってきた。政治権力も昔ほど強大ではなくなり、単純で古くさい対立軸だけでは社会のありようを説明できなくなっている。

第一章で物価高のことを書いたが、「モノの値段が上がった」というニュースに「庶民の生活を直撃！」とステレオタイプに言っておけば「何か言った気になれる」とマスコミの人間は思っている。しかし二十一世紀の経済の現実からは「いや、価格が上がらなければデフレから脱却できない」「価格が上がるからこそ企業は賃金を上向かせることができる」「しかし企業は固定費の増加を懸念して、価格を上げても開発投資や内部留保に回してしまうのではないか」「じゃあ、それを防ぐにはどうすればいいのか」と議論していかなければならない。単純ではないのである。

日本社会の良識を支える新たな「知識を持つ人々」

この複雑さに対応するためには、さまざまな分野の専門知を持ち寄って、それらを共有しながら議論していくしかない。それがＳＮＳを通じた職能集団社会の可能性である。

二〇二一年に、職能集団社会についてツイッターで連投したことがある（https://twitter.com/sasakitoshinao/status/1410581881981214720）。ここで引用しよう。

〈３１１の原発事故で大きく揺らいだ「知識人」「インテリ」と呼ばれている人たちへの信頼が、コロナ禍のこの１年でほとんど壊滅的になってる感じがする（全部じゃないけど）。でも日本社会はこういうハードランディングでアップデートされてくのかもと考えれば、これも過渡期ならではの現象か。〉

〈いまSNSで起きているのは、本来的な意味での「反知性主義」(より的確に表現するのなら、反知識人主義・反権威主義)だなあと思います。知識人と思われてきた人たちの思考の射程の短さに、一般社会があらためて気づいた1年だったのでは。〉

〈それなのにこういう状況に「一般人は反知性だ、知識をないがしろにしてる、バカになってる」と上から目線で思っちゃう人がいるから、ますます彼らが社会と乖離していってしまう。〉

〈いずれにせよ時代は進む。時代についていけない古い「知識人」は置き去りにされ、二〇~三〇代の若い世代から新しい知識層が生まれつつあり、彼らが二十一世紀に適合した新しい知性と新しい良識を形づくっていってくれるでありましょう。〉

〈前から何度も言ってるけど、わたしは今の日本社会は古い言い方の「大衆社会」じゃなく、ありとあらゆる分野の様々な専門家で構成される職能集団に基づいた社会だと思ってる。その人々の総体としての良識を信じるのは大事だと思います。〉

〈職能集団としての日本社会の良識が、マスメディアや古い知識人のおかしな言説を真っ向から批判し訂正するような場面が、毎日のように起きてるのがいまのSNSだと思う。〉

このわたしのツイッター連投には、「知識人のレベルなんて、311のずっと以前からそんなものだったのでは」というリプライも多かった。そうだったかもしれないが、31をきっかけに変わったことは大きい。一つは、日本の文系の知識人が科学や技術に対する知識が驚くほど乏しく、ITリテラシーも低かったのだと皆に知れ渡ってしまったということ。もう一つは、逆に理系の研究者や技術者などが、あらたな二十一世紀型の信頼される「知識を持つ人たち」として表舞台に立つようになったということだ。

そうした新たな「知識を持つ人たち」のぶ厚い層が、いまの「職能集団としての日本社会の良識」を支えているのである。彼らは決して、前世紀の「知識人」「インテリ」のイメージではない。昔の知識人やインテリは、一般社会を「大衆」「民衆」などと呼んで一段下に見ていた。端的に言えば「バカにしていた」のだが、いまの「知識を持つ人たち」は一般社会をバカにしていない。なぜなら彼らは社会から浮いたエリートでは決してなく、自分たちも一般社会のメンバーのひとりであると自覚しているからだ。

ツイッターを日々ウォッチしていると、「知識を持つ人たち」の層のぶ厚さに驚かされる。

たとえば流通関連のニュースの話題が出てくると、ツイッターではたちどころにスーパーやコンビニなどの現場で働いている人たちやトラックドライバー、流通業界でコンサルタントの仕事をしている人などさまざまな専門家が現れてきて、それぞれの知見を提供してくれる。そういうケースが無数に起きているのが、いまのSNSなのである。

ツイッターでありがちなイデオロギー論争にのめり込みすぎて「パヨクが暴れてる」「ネトウヨがうるさい」などと怒ってばかりの人たちには、このような豊穣な文化がツイッターで育っていることに気づかない。日々政治に怒っている人たちは、せっかく面白く楽しい異国の街に来たのに、刺激的な人々が交流する広場のカフェには足を向けず、わざわざ公衆便所の裏側に行って「汚い！　汚い！」と叫んでいるようなものである。

二十一世紀の社会は複雑で多様であり、前世紀的な「権力vs.反権力」とか「市民の目線で」といったシンプルな世界観だけではもはや対応できない。この複雑で多様な社会のさまざまな分野を理解するためには、それぞれの分野に携わっている人たちの知や現場の声に直接触れ、理解したほうがいい。高所に立っていると勝手に自認している知識人や新聞記者たちの古くさい世界観だけでは、社会の認識には到底追いつかないのである。

だから二十一世紀の日本人は、もはや「無知な大衆」ではない。もちろん無知な人だっているが、それ以上に優れた専門知を持った人たちがたくさんいる集合体である。これが「職能集団社会」である。

もちろん、昔から専門知を持つ人はたくさんいた。しかしマスコミしかなかった時代には、そういう知が広く共有されることはなかった。ＳＮＳの普及が、それを可能にしたのである。

そのような専門知が交換されることによって、いまの日本社会全体の知は底上げされている。この集合知を信頼し、ていねいに見ていくことが大事で、それこそが陰謀論やデマに惑わされないために大切なことなのだ。

細分化された職能集団の限界を埋める存在

新型コロナ禍が始まった二〇二〇年、トイレットペーパーが買い占められてスーパーの店頭から消えるという現象があった。「無知な大衆がデマを信じてトイレットペーパーを買い占めに走った」と最初は思われたが、実はそうではなかったということが検証されている。テレビが「買い占めが起こりそうだ」と報じ、そのニュースを耳にした人たちが「買い占められたら店頭から消えてしまうかも」と危機感をいだいて、「なくなる前に買っておこう」とスーパーに走ったのである。

つまり、こういうことだ。みんな「どこかに愚かで無知な大衆がいて、その人たちが買い占める」と思っているけれども、その無知な大衆など現実にはあまり存在していないということなのだ。そもそも「大衆はバカだ」などとツイッターで罵《のの》っている人も、自分を「無知な大衆」だと思ってはいないだろう。

しかしこのような職能集団社会にも、課題はある。二つ挙げよう。

（1）職能集団の専門知を皆で共有する動線が、うまくつくられていない課題
（2）職能集団を基盤としたメディア全体のグランドデザインが、まだ描けていない課題

一つずつ説明しよう。

まず（1）の、職能集団の専門知を共有する「動線」がまだうまくつくられていないということ。

インターネットの黎明期だった二〇〇〇年頃、デジタルデバイド（デジタル格差）という言葉があった。ネットが使える人と使えない人で情報の格差が生じ、それがひいては経済格差にもつながるという話だった。スマホをだれもが使うようになって、この問題はとっくに解消している。しかしいまの日本では、今度は「ソーシャルデバイド」と言える状況が広がっている。

ソーシャルデバイドとは何か。それはSNSでだれにつながるかによって、情報の格差が生じてしまう問題である。

人がどんな情報を得るかは、その人がどういうコミュニティに身を置き、どのような友人とつながっているかで決まる。LINEのような閉鎖的なSNSで陰謀論が流れるコミュニティに属してしまうと、延々と陰謀論の情報にさらされる。そして、それを一度信じてしまった人は、それを否定する情報に触れるたびにますますその信念が強固になってし

まう。つまるところ、右左に限らず陰謀論やデマに惑わされないためには、極端な情報が流れてくるコミュニティに身を置かないことを心がける以外に方法はない。

日本社会は、右にも左にも寄らない良識的な人々が本当は大部分を占めているはずだ。問題は、そういう中間的な人たちの層がＳＮＳであまり可視化されていないことである。なぜなら、そのような良識的な人というのは徒党を組まないからだ。徒党を組まないので大声を出すわけでなく、目立たないのである。

とはいえ目立たないだけで、つねにまっとうな情報がその人たちのあいだに流れていると考えれば、良質な情報の動線をどう設計していくのかが今後の日本の民主主義のカギとなるはずだ。

（２）の全体のグランドデザインの課題。

新型コロナ禍を題材に、この問題を考えてみよう。感染者が急増し、緊急事態宣言が出ていた頃には「感染を防ぐのか。それとも飲食店やホテル、旅館を救うのか」という二者択一が議論になった。医療の職能集団から見れば、感染を抑え込むためには、徹底的に人流を減らし、会食などをやめてもらうしかない。しかし感染防止を徹底的に行うと、実際に東京などで行われたように、飲食店に酒提供禁止を求め、営業時間も短くしてもらうしかない。これは飲食業界や旅行業界にとっては死活問題であり、実際にたくさんの店が閉店や廃業を余儀なくされた。

この感染防止と経済のバランスをどこでどう調整するのかという問題は、職能集団の集合知だけではどうにもならない。職能集団は、それぞれの分野を横断する調整機能は持っていないのである。

ここに政治とメディアの本来の役割がある。政治がどこでバランスを取るのかを調整して判断し、それをメディアが賛同も批判も交えてロジカルに評価する。そういう役割がきちんと機能するのであれば、メディアは「マスゴミ」などと呼ばれることもなくなり、多くの人がジャーナリズムを応援してくれるはずだ。


職能集団社会には、分野横断のバランスだけでなく、社会全体をどこに持っていくのかというグランドデザインも必要である。新型コロナ禍で言えば、私権制限の問題がそれにあたる。日本は戦前の特高警察などへの反省から、政府が過剰な私権制限はなるべく行ってこなかった。憲法に緊急事態条項を盛り込むことにも、多くの人が反対してきた。だからコロナ禍でも、欧米のような強制的な都市封鎖は行われず、あくまでも要請にとどまったのである。

しかし、第二章でも書いたように新聞やテレビでは、「どのぐらいまで私権制限を行っても許容されるのか」という理念をめぐる議論は皆無だった。

それどころか、感染が増えれば「感染が増えてる！　もっと強い制限をすべきだ」と非難し、感染防止の強い対策をとると今度は「飲食店が壊滅的だ！　政府はなんとかしろ」と非難する。ただただ政府を非難しているだけで、「じゃあ、どうするのがベターなのか」「どのような理念をもとに私権制限をするのか」ということは、司会者もコメンテーターもだれも言わない。

パンデミック対策というのは退却戦のようなものなので、どちらにしろどこかに被害は出てしまう。それをその都度批判していれば「何か言った気になっている」というだけで、ただのお気楽な批判商売である。

「われわれ日本社会は、どの程度の私権制限を許容するのか」という理念と、それに基づいてどう制度を設計するのか。それがグランドデザインである。このグランドデザインを設計するには、個別に細分化された職能集団社会だけでは不可能である。ここに政治とマスコミの現代的な役割があるのだ。

なぜテロリストは「物語化」されるのか

安倍元首相を殺害した男を「被害者」にしたメディア

二〇二二年夏、安倍晋三元首相が銃で殺害された事件は日本社会に大きな衝撃を与えた。組織的なテロではなく、ローンウルフやローンオフェンダーとも呼ばれる個人のテロリストが引き起こしたのである。二十一世紀になって、政治家がテロの銃弾に斃《たお》れるなどということがまさか起きるとは……と多くの人が震撼した。

しかし新聞やテレビがこの事件を報じ始めると、メディア報道はあらぬ方向へと進んでいくことになる。犯人が統一教会の「宗教二世」だったことから報道の中心は統一教会と政治のつながりの話へと突き進み、さらには犯人を宗教二世としての「被害者」として報じ、「かわいそうな物語」として描くようなメディアまで現れたのである。さらには大学教授でもある著名な作家が「暗殺が成功してよかった」と発言し、著名な社会学者が「世直し」と語り、漫画家が「事件を知ったときは思わず『でかした!』と叫びました」と喜ぶなど、常軌を逸したような反応にまで広がった。

統一教会の問題を世に問いたいと事件を引き起こしたテロリストが、まさに願った通り

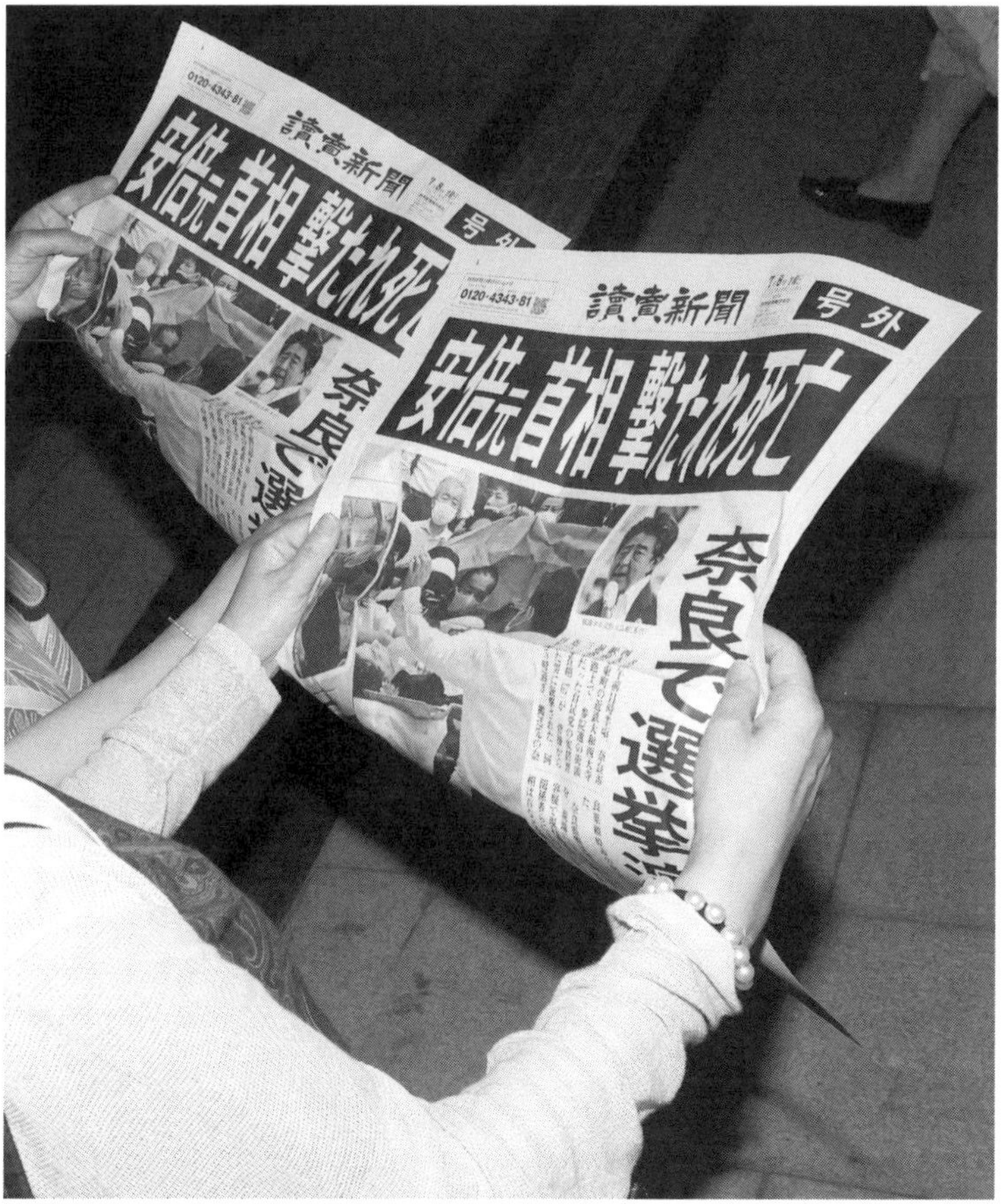

安倍元首相殺害は世間を震撼させた。その後、犯人を宗教二世という「被害者の物語」として描くメディアも出現。テロリストに屈したも同然だ。

の報道洪水になったのだ。これは「テロリストに屈している」ことに他ならない。

それにしても、なぜ日本のメディアや著名人たちはこのようにテロリストを「被害者化」し、被害者の物語として描くような報道をしてしまうのだろうか。なぜ被害者そのものである安倍元首相の側の物語が描かれないのだろうか。

テロリストを美化するという、日本特有の文化的問題はよく指摘されている。

危機管理学の専門家である日本大学の福田充教授は著書『メディアとテロリズム』（新潮新書、二〇〇九年）で、こう指摘している。


〈日本には自らの命を捨ててテロリズムを実行することによって政治的状況を打開、または変革しようとする文化が歴史に根付いている。〉

〈日本の文化の特徴は、※編集部注（一九三六年に起きた二・二六事件の）彼ら青年将校らにも言い分があった、決起した理由があったということを斟酌するところである。彼らの行為は紛れもなく要人暗殺型テロリズムであるが、そこに彼らの正義感や義侠心を読み取ろうとする文化が日本にはある。〉


しかし二十一世紀に入る頃から、テロリストを美化することは社会的にもタブーになっていたはずである。最も大きな引き金となったのは二〇〇一年の米国同時多発テロである。

この恐ろしい事件からわたしたちは「テロ」「テロリスト」という単語にとても敏感になり、「テロは決して許されない」「テロに屈してはならない」という姿勢を当たり前のものとするようになった。

それにもかかわらず、なぜ二〇二〇年代になってテロリストを称揚するような動きが起きたのだろうか。

重信房子、よど号犯、あさま山荘……日本赤軍の経緯

この背景には、一九七〇年代の時代感覚の影響があるのではないかとわたしは考えている。本書で何度となく説明しているが、日本の新聞やテレビは二〇二〇年代になっても、いまだ昭和の価値観を引きずり、当時の時代感覚を凍結保存したような言説をばらまいている。それらと同じことが、対テロリスト観にも適用されてしまっているのだ。

一九七〇年代の時代感覚とは、どのようなものだったのだろうか。

安倍元首相の事件が起きる少し前、「日本赤軍」のリーダーだった重信房子氏が懲役二十年の刑を終えて出所するというできごとがあった。日本赤軍は一九七〇年代、多くの一般人も殺傷されるテロ事件などを引き起こしたテロ組織である。

出所した重信氏は「闘いの中で無辜《むこ》の人たちに被害を与えた。おわびします」と述べた。

この出所を新聞やテレビは大きく扱い、朝日新聞は獄中から送られてきていた重信氏の手紙や手記などを詳細に報じた。ＴＢＳのニュース番組『報道特集』なども派手に扱い、「この世間に出てきて、いまいちばん感じていることは？」と彼女に質問を投げ、「あまりにも昔と違ってひとつの方向に流れているのではないか。国民がそうではなくても、政治家が一方向に流れている」と政権批判のコメントを引き出している。

まるで「王の帰還」である。

このような重信氏のメディアの扱いには、安倍元首相殺害事件のテロリストの扱いと共通している部分があるとわたしは考えている。

それを説明するためにはまず、一九六〇年代末から七〇年代にかけて日本赤軍が社会でどう見られていたかというところから掘り起こさなければならない。

学生運動が最高潮に達していた一九六九年、共産主義者同盟赤軍派というセクトが結成された。その主張は単純にいえば、「世界中で革命を起こす」「武装闘争をする」という二つの過激な主張である。この赤軍派が、三つのグループに分かれていく。

第一のグループは、一九七〇年三月に日航機よど号をハイジャックし、北朝鮮にわたった「よど号犯」たち。

第二のグループは、一九七一年二月にパレスチナにわたり、ＰＦＬＰ（パレスチナ解放人民戦線）と合流した重信房子氏たち。このグループが後に「日本赤軍」と名乗るようになる。

第三のグループは、海外に渡らなかった者たち。彼らは国内で銃砲店を襲撃して銃を奪い、銀行を襲って現金を強奪し、群馬の山中で軍事訓練を繰り返した。このグループは京浜安保共闘（日本共産党革命左派）という別のセクトと提携し、このため「連合赤軍」と名乗るようになる。

この連合赤軍が、歴史に悪名高い残虐な大量リンチ殺人「山岳ベース事件」を引き起こすのである。

山岳ベース事件が暴かれたきっかけは、あさま山荘事件である。一九七二年二月、警察の追跡を逃れるために群馬の山中を転々としていた連合赤軍は、長野・軽井沢の別荘地にある保養所「あさま山荘」にたどり着き、管理人の妻を人質にとって立てこもる。包囲した警察との対峙は九日間も続き、ＮＨＫも民放もＣＭを飛ばして休むことなく生中継しつづけた。最終的に警察が突入した二月二十八日の視聴率は、全局を合計すると八九・七パーセントという前代未聞の数字を叩き出した。日本人のほとんど全員が，攻防戦を固唾《かたず》を呑んで見守ったのである。連合赤軍の兵士五人と警察隊は激しい銃撃戦を展開し、最終的に警察官二人と勝手に現場に侵入した民間人一人の計三人が亡くなっている。負傷者は三十人近くにのぼった。

この攻防戦を、人々はどう見ていたのだろうか。

学生運動は幼稚な戦争ごっこか、革命か

テレビのニュースや新聞の記録を見ると、亡くなった警察官を追悼し、連合赤軍を強く非難している。しかし表面上のマスコミ報道だけからは見えてこない民意もあった。ひとつ例を挙げよう。一九七〇年代に特に人気のあったフォークシンガー、友部正人に『乾杯』という曲がある。当時二十一歳で、連合赤軍兵士たちとほぼ同世代だった友部は、あさま山荘攻防戦最終日の二月二十八日をこの歌で描いている。

〈電気屋の前に三十人ぐらいの人だかり　割り込んでぼくもその中に「連合赤軍五人逮捕　泰子さんは無事救出されました」金メダルでもとったかのようなアナウンサー　かわいそうにと誰かが言い　殺してしまえとまた誰か　やり場のなかったヒューマニズムが今やっと電気屋の店先で花開く〉

〈ニュースが長かった二月二十八日をしめくくろうとしている「死んだ警官が気の毒です　犯人は人間じゃありません」って　でもぼく思うんだやつら　ニュース解説者のように情にもろく　やたら情にもろくなくてよかったって　どうして言えるんだい　やつらが狂暴だって〉

〈新聞はうすぎたない涙を高く積み上げ　今や正義の立て役者　見だしだけでもってる週刊誌　もっとでっかい活字はないものかと頭をかかえてる〉
〈結局その日の終わりにとりのこされたのは　朝から晩までポカーンと口を開けてテレビを見ていたぼくぐらいのもの〉

そうと明言はしていないが、連合赤軍兵士たちへの友部のささやかなシンパシーを感じる歌詞である。そして友部のような人は、決して少数派ではなかった。

その背景には、二十一世紀の現代とはまったく異なる半世紀前の日本の素顔がある。政治はすべて密室で行われ、一般社会からは遠く、「政官財」と呼ばれるような政治と官僚、経済界は驚くほどに癒着していた。高度成長を経て社会は豊かになっていたが、社会の抑圧も強かった。

警察官も横暴で、彼らの乱暴な振る舞いに反感を持つ人は多かった。「市民への言葉づかいや態度を改めなければならない」と「市民応接向上運動」が警察内部で始まったのは、一九八〇年代後半になってからのことである。一九六〇年代の学生運動は「横暴な警察に路上で真っ向から立ち向かっている若者たち」というイメージを伴っていた。そこにシンパシーを感じる人は多かったのである。

逆に、学生たちの「跳ねっ返り」に眉をひそめていた人たちも多かった。太平洋戦争が終わってからまだ二十年あまり。戦場に赴《おもむ》いた元日本軍兵士たちは、働き盛りの中年だった。彼らから見れば、学生運動など「幼稚な兵隊さんごっこ」ぐらいにしか映らなかっただろう。

運動をしている学生の側にも、「前衛たるエリートが大衆を率いて革命を起こす」というレーニン主義的な色彩があった。大衆蔑視的な空気が漂っていたのである。これに対する反感もあっただろう。

当時、機動隊員として学生運動の制圧をしていた警察官に、わたしは後年になって学生運動への思いを聞いたことがある。この警察官は一九九〇年代には警視庁の幹部になっていた人物である。

「石を投げゲバ棒で武装した学生たちと街頭で対峙していると、『とっとと帰れ、高卒!』みたいな低学歴をバカにするヤジがいっぱい飛んでくる。こっちは仕事でしかたなく出てるのに、なんでこんなにバカにされなきゃいけないんだと涙が出そうだった。学生の暢気《のんき》な遊びに付き合わされてるって気持ちがずっとありましたよ」

大学生という肩書は、戦前には「末は博士か大臣か」と呼ばれるエリートだった。しかし、人口の多い団塊の世代が大学へ進学する一九六〇年代後半には、大学は「サラリーマン予備校」ぐらいの平凡な位置に落ち着いていた。大学も大量の学生を引き受けるのに四苦八苦し、巨大な教室に学生を詰め込んで講義を受けさせる「マンモス授業」が問題になった。

こういう大学生の扱いの変化に苛立ったことが、学生の反乱の背景にあったというのは何度となく指摘されている。大学の実態もイメージももはやエリートでもなんでもなくなっていたのにもかかわらず、いや「だからこそ」というべきか、当時の大学生は「大衆」や「庶民」に対して無理にでもエリート意識を持ちたかったのかもしれない。

そのような根拠なき大学生のエリート意識への反感も、当時の日本社会には色濃くあった。先ほどの友部正人の歌詞〈かわいそうにと誰かが言い　殺してしまえとまた誰か　やり場のなかったヒューマニズムが今やっと電気屋の店先で花開く〉という描写は、このあたりの反感をリアルに描いている。

〈どうして言えるんだい　やつらが凶暴だって〉

このように当時の日本社会は、学生運動に対して二分された思いを持っていた。学生運動が末期的になり、赤軍派のように武装闘争や銀行強盗に走るセクトが現れて彼らへの反発は強まったが、一九七一年頃の時点ではシンパシーはまだなんとか維持されていた。

しかしシンパシーは、あさま山荘事件の直後に完全に吹き飛ぶことになる。連合赤軍兵士たちが逮捕され、彼らの供述から、十二人もの仲間をリンチして殺害していた山岳ベース事件が明らかになったからである。

この事件が日本社会に与えた影響は、ウィキペディア日本語版の「山岳ベース事件」の項目が的確に記しているので引用しよう。


〈あさま山荘事件終結後も、日本社会党の議員や左派系マスメディアの中には、連合赤軍を擁護する主張・言動を続けていた者が少なからず見られた。しかし、あさま山荘事件とその直後に発覚した山岳ベース事件の真相と連合赤軍の実態が明らかにされるにつれて、連合赤軍を擁護した者たちの面目と社会的信用は丸つぶれとなった。かくて、左派として行動・主張してきた者たちもことごとく一斉に手の平を返し、連合赤軍を批判する側へと回っていった。

日本国内では、これまで新左翼運動を否定的に見ていた人間はもちろん、新左翼運動を好意的に見ていた人間も、この事件によって新左翼（極左）を嫌悪するようになっていった。それまで世論の一部に存在していた連合赤軍に同調する動きもまた、一気に冷却・縮小していった。〉

ところで先ほど紹介した友部正人の曲『乾杯』は、山岳ベース事件が明らかになったあとの一九七二年五月にライブコンサートで収録されたものである。〈（やつらが）※編集部注やたら情にもろくなくてよかったって　どうして言えるんだい　やつらが狂暴だって〉という歌詞は、友部の抱いたシンパシーへの強烈な皮肉にもなっている。山岳ベース事件発覚で、彼らは恐ろしいほどに「狂暴」だったことが暴露されてしまったからである。しかしこの歌詞を盛り込んだこと自体が、友部正人という稀代のフォークシンガーの誠実さの表れだったようにも感じる。

山岳ベース事件によって学生運動、とりわけ武装闘争への日本社会のシンパシーは完全に潰《つい》えた。

ここに至って、学生運動を擁護したい人たちの最後のよりどころとなったのが「連合赤軍ではない赤軍派」だった。つまり、よど号犯と日本赤軍である。時系列で赤軍派の事件を並べてみるとわかる。

一九六九年九月　赤軍派結成
一九七〇年三月　よど号ハイジャック事件
一九七一年二月　重信房子氏らがパレスチナに渡り、日本赤軍に
一九七一年末〜七二年二月　山岳ベース事件
一九七二年二月　あさま山荘事件

よど号犯も日本赤軍も、山岳ベース事件のときにはすでに日本にいなかった。凄惨なリンチとは無縁だと捉えられたのである。雪深い群馬の暗い山中でのリンチ大量殺人という陰惨な犯罪に手を染めることはなく、海外へと雄飛したのである。

戦後に海外旅行がようやく自由化され、だれでも海外に行けるようになったのは一九六四年。一九七〇年頃の日本人の意識では、海外はまだ遠い夢のような憧れの地だった。海外に出るというのは、恐ろしく不安であるのと同時に、素晴らしく無限に広がる世界に出て行くほどの意気込みのものだった。

よど号犯は、北朝鮮に向けて出発した際に声明文を残している。

〈われわれは明日、羽田を発たんとしている。われわれは如何なる闘争の前にも、これほどまでに自信と勇気と確信が内から湧き上がってきた事を知らない。……最後に確認しよう。われわれは明日《※ママ》のジョーである。〉

当時人気のあったボクシング漫画『あしたのジョー』に自分たちをなぞらえ、真っ白に燃え尽きるまで闘うのだという宣言。ここにも「海外に雄飛」という感覚が鮮やかに表されている。

海外へ「雄飛」していったアウトサイダーたち

くわえて海外に出て行った彼らは、連合赤軍と違って「日本人の被害者」は出さなかった。よど号ハイジャック事件では、警察にも一般人にも死傷者は出ていない。いっぽうで日本赤軍はあさま山荘事件の三か月後、イスラエルのロッド国際空港を自動小銃と手榴弾で襲撃し、民間人の死者二十四人を出す無差別テロ事件を起こしている。実行犯のひとりは、重信房子氏と偽装結婚して日本を脱出した奥平剛士である。奥平は事件の最中に死亡したが、日本赤軍はその後いくつものハイジャック事件や各国の大使館襲撃などを世界各地で繰り返した。

日本赤軍のテロの数々は、国際社会では激しい非難を浴びた。しかし日本人のあいだでは決して否定的な反応だけでなく、「海外に雄飛し、派手なドンパチをして世界を相手に戦っている」という印象を持つ人も少なくなかった。そこには欧米を相手に戦争に完敗した日本人ならではの「やり返してやった」的な心象もあったのかもしれない。そもそも渡航経験もまだ少なかった中で、海外のテロ被害者に対する共感が乏しかったという面もあったのだろう。テロの映像や遺族の悲しみがまたたく間に世界中に広がる現代のインターネット世界とは、まったく違った時代だったのである。

そしてこの「海外に雄飛していった武闘派の兵士たち」というイメージは、一九七〇年代に持てはやされたアウトサイダーの物語へと重なった。

アウトサイダーとは何か。自分がいま生きているこの抑圧的な日本社会の外側にあって、自由に放埒《ほうらつ》に生きる者たちである。当時の日本にはそういう自由な人生に憧れ、自分がいまいる息苦しい場所から逃れたいと願った人が少なくなかった。

象徴的な映画をひとつ挙げよう。一九七五年の『**祭りの準備**』。黒木和雄が監督を務め、昭和三〇年代の高知・中村市を舞台に「いつかこの村を出て、上京して脚本家になりたい」と夢見る若い信用金庫職員を江藤潤が演じている。

過保護な母親に上京を猛反対され、生活にプライバシーはなく、主人公は田舎の生活の何もかもにうんざりしている。憧れていた彼女（竹下景子）を都会からやってきた労働運動の男に奪われ、都会へのコンプレックスも募る。

終盤、主人公は田舎を捨てることをついに決意し、とっておきのスーツをおろし、大事に飼っていたメジロを鳥かごから解き放ち、自転車で村を出て駅へと向かう。

このシーンで実に良い演技をしているのが、原田芳雄演じる年上の友人。真っ黒に日焼けして粗野で、どこまでも明るい。しかしその彼は強盗殺人を犯し、逃走の身でもある。まさにアウトサイダー的な存在なのだ。

村を出て東京に行くと告げる主人公に、アウトサイダーは言う。

「そうか、東京かあ。ええのう。ええわ。ワシみたいに戻りとうても戻れんもんがおると思えば、ワレみたいに飛び出していくもんもおるちゃ。みょうなもんでのお」

動き出す列車を追いかけ、原田芳雄は両手を振り上げ「バンザーイ、バンザーイ」と叫ぶ。上着を脱いで大きく振り、列車が見えなくなるまで叫び続けるのだ。

彼の「ワシみたいに戻りとうても戻れんもん」というセリフは、まさに彼がアウトサイダーであることを示している。共同体に戻ることも許されず、外部にはじき出された者。はじき出され排除されているがゆえに、カッコいい。それが一九七〇年代のアウトサイダー観である。

もう少し深掘りして説明しよう。

一九四五年に戦争が終わり、戦前の伝統的な社会は崩壊した。

戦後の混乱期になると、アナーキーな若者たちがたくさん現れる。彼らは権威や古い価値観を否定し、大人には理解不能な事件を引き起こして話題を奪った。東大の学生がヤミ金融を経営していた光クラブ事件は、「エリートの東大生が！」と社会に衝撃を与えた。オー・ミステーク事件と呼ばれた強奪事件もあった。日大職員だった十九歳の少年が、同じ大学の職員給料輸送車を襲って現金を奪い、日大教授の娘である十八歳の恋人と逃避行を続けたというものである。最後に逮捕され、そのときに恋人に向かって「オー、ミステーク！（しくじった）」と叫んで有名になった。

無軌道で無責任で奔放な犯罪者だった。戦後混乱期に現れたこのような若者たちを、当時の大人たちはアプレゲール（戦後派）と侮蔑的なニュアンスで呼んだ。

社会の抑圧の中で膨らむ無軌道なヒーローへの憧憬

やがて混乱が落ち着き、一九五〇年代なかばから高度経済成長期に入ると、日本社会はふたたび秩序を取り戻していく。農村から都会に大量に流入した若者たちは企業社会に吸収され、農村が衰退して農業人口が減ったかわりに、都市の会社員が増えていく。新たな社会の階層が生まれ、階層は固定的になっていく。

高度成長は生活を豊かにし、普通の家庭が電気炊飯器や電気洗濯機、テレビを持てるようになった。混乱ではなく、安心・安全な生活を手にすることができたのである。一九六〇年代には自民党政権が所得倍増計画を打ち出し、給料は実際に増えて最終的に倍どころではなく上昇した。初任給で見れば、一九五〇年には八千七百円だったのが、高度成長が完成したとされる一九七〇年代末には十万九千五百円。実に十倍以上に達したのである。

将来に夢を持ち、普通の庶民でも持ち家を建てることができるようになった。

しかし豊かにはなったが、抑圧も強かった。サラリーマンが企業への精神的従属を強いられたように、社会のさまざまな場所に新たな抑圧が生まれていた。戦前の伝統的な社会は衰退したが、新たな秩序が新たな抑圧をつくり出したのである。

アウトサイダーへの憧れは、高度成長末期のそういう時代状況から登場してきた。

高度成長の豊かさを満喫しながらも、どこかで戦後の混乱期の「無秩序な世界」に郷愁を抱いていたのである。だから高度成長の完成期であった一九七〇年代には、かつてのアプレゲールのような無軌道で奔放なヒーローが映画にもたくさん登場してきた。原田芳雄はその象徴的な存在だが、それ以外にも萩原健一や松田優作、緒形拳など皆アウトサイダー的な風貌を持っている。戦前生まれで少し世代が上の高倉健も、この系譜に連なるひとりである。

学生運動が最高潮だった一九六八年に東京大学の駒場祭のために描かれたポスターは、その秀逸なキャッチコピーで歴史に名を遺している。

〈とめてくれるなおっかさん　背中のいちょうが泣いている　男東大どこへ行く〉

考えたのは一九四八年生まれの団塊の世代で、当時東大生だった作家、橋本治。キャッチコピーもポスターの絵柄も、あきらかに高倉健をイメージしている。エリートの東大生が学生運動に身を投じることを、長ドスを持って単身敵地に乗り込むヤクザ映画の「健さん」に重ね合わせたのである。社会から外れたヤクザというアウトサイダーでありながらも、言い訳せず筋を通し、寡黙に人生を生きていくという生き様は東大生のみならず、当時の男性たちが熱狂的に憧れた存在だった。アウトサイダーはとにかくカッコ良かったのである。

一九五〇年代の映画黄金時代に目立った正統的な美男美女ではなく、かといって二十一世紀には主流になった中性的な俳優たちでもなく、一九七〇年代前後はこのようなアウトサイダー俳優が活躍した時代だった。

映画作品からさらに例を挙げよう。

一九七九年の『**復讐するは我にあり**』。警察の捜査網をかいくぐり、逃走しながら五人を殺害した西口彰の実話で、緒形拳が魅力的な犯罪者を演じる。

一九八〇年の『**野獣死すべし**』。元戦場記者は戦争の悲惨さを目の当たりにして倫理感を失い、社会とは隔絶した生活をしながら強盗で生計を立てている。松田優作の鬼気せまる演技が圧倒的だった。

一九七四年の『**青春の蹉跌**』。司法試験に合格し社会的地位を昇っていくために、妊娠した恋人の首を絞めて殺した大学生を萩原健一が鮮烈に演じている。

一九八二年の『**TATTOO〈刺青〉あり**』。一九七九年に起きた三菱銀行人質事件の犯人梅川昭美を宇崎竜童が演じた。安っぽくインチキで、あまりに人間くさい強烈な演技が印象的だった。

彼らアウトサイダーたちは苦難や挫折を抱え、社会の外側へと逃れた。そのカッコ良さに、当時の日本人は無秩序な時代への郷愁を感じたのと同時に、自分たちの「あり得たかもしれない人生」をも仮託していた。平凡な自分たちの人生の代わりに、アウトサイダーに別の人生を夢想させてもらっていたのである。

「寅さん」という社会に接続できるアウトサイダー

しかし、そこにはジレンマもあった。無秩序なアウトサイダーへの憧れを抱きながらも、かといって人々は高度成長で得た豊かさを手放す気はなかったのだ。秩序を棄《す》て去る気などは毛頭なかったのである。だからアウトサイダーには憧れたけれども、実際にアウトサイダーになるという選択肢は現実にはあり得なかった。

となると、アウトサイダーに憧れるのと同時に、日本人は自分たちの平凡だが安定した人生も肯定してもらう必要があった。

では、どうすればいいのか。

そのためには、アウトサイダーの人生は最終的には否定されなければならなかった。つまりアウトサイダーたちにはカッコ良く死んでもらうしかなかったのである。映画を観ているあいだはアウトサイダーの人生に肩入れして没頭し、そして最後に彼らに死んでもらうことで、映画を見終えたら安心して日常に戻ることができた。一九七〇年代のアウトサイダー映画の多くが、最後は悲劇的な結末で終わったのは、そういう願望の表れだった。

この点において特異だったのは、一九六九年からトータルで四十八作もつくられた長寿シリーズ『**男はつらいよ**』である。渥美清演じるフーテンの寅さんは、祭事を追って全国を渡りながら暮らすテキヤというアウトサイダーだった。映画シリーズ化に先んじて製作されたテレビドラマでは、寅さんは最後にハブに咬まれて死んでしまう。この時代のアウトサイダー映画の王道に沿って、悲劇的結末を迎えさせられたのである。

しかし寅さんが長寿の映画シリーズになるためには、悲劇的結末は避けなければならない。そこで寅さんはアウトサイダーであるのと同時に、葛飾柴又という帰ることのできる場所が用意された。そこには妹のさくらやおいちゃんといった愛すべき人たちがいて、寅さんを温かく迎え入れてくれた。この一点で、寅さんは日本社会と接続し、完全なアウトサイダーになることは免れたのである。

菊地史彦氏は著書『**「幸せ」の戦後史**』(トランスビュー、二〇一三年)でこう指摘している。

〈彼は秩序や競争から自由な者であるために、家族を持たず、旅を続けなければならないが、帰る場所はまだ残されている。無頼なヒーローは持ち前の愛嬌によって、ぎりぎりのところで故郷喪失を免れている。戦後社会の趨勢からドロップアウトしたものの、批判者として振る舞うことはなかったので、人々は四半世紀にわたってこのヒーローを支持し続けた。〉

アウトサイダーに憧れながらも、アウトサイダーを否定する。豊かになり安定した生活を楽しみながら、だからこそアウトサイダーという無秩序なはぐれ者に憧れる。一九七〇年代には、そういう時代感覚があったのである。

山口二矢を伝説にしてしまった傑作ノンフィクション

一九七八年には、沢木耕太郎氏による『テロルの決算』（文藝春秋）というノンフィクションの傑作が生まれた。一九六〇年に起きた社会党委員長の浅沼稲次郎刺殺事件をテーマにした作品である。被害者の側と刺殺した十七歳の右翼少年山口二矢《おとや》の双方をフラットかつ冷静な視点で描いているが、最終章には一九七〇年代当時のアウトサイダー観を象徴するような描写が出てくる。

それは、山口二矢をめぐるひとつの伝説という話で語られる。

〈山口二矢が浅沼を狙い、その第三撃を加えようと短刀を構えた時、刃を素手で把んだ刑事がいた。あえて刀を引けば、刑事の手はバラバラになってしまう。二矢は迷った末、一瞬ののちに短刀を手から離した……。〉

この伝説を確認するために、その刑事を治療した医師を沢木氏は探し出して直截的に訊ねる。

〈「それが本当なのかどうか、当事者の口から訊いてみたいのです。ぼくには、あの状況の中で、そのようなことができたとはどうしても思えないんです。右翼の人はその伝説によって二矢を神格化しようとしているのでしょうけれど。つまり、それほど二矢は人格的に完成されていたのだという……」〉

訊かれた医師は考え、そしてあることを思い出し、ハッとする。そしてこう語る。

〈「(掌は)《※編集部注》小さな疵でもかなりはっきりと残る。深い疵なら、何らかの深刻なトラブルが起こりえます。まして、刀を握り、その刀を思い切り引き抜かれたとしたら、筋はバラバラになり、たいへんなことになるでしょう。ところが……」

「その刑事さんの掌の疵はたいしたことがなかったというんですか」

「そうなんです。顔も名も覚えていませんが、その疵だけははっきり覚えています。それは掌に一本の細い線のような痕が残っているだけの疵でした……」〉

この最終章の描写によって、テロリスト山口二矢の伝説は確認され、単なるテロ犯ではないヒロイックなアウトサイダーの物語へと昇華している。これは物語の結末としてはとびきり秀逸だが、「テロを許してはならない」ということが当たり前になった現代の価値観から見れば違和感を感じる人も多いだろう。しかしこのようなテロリストの物語化は、同書が書かれた一九七〇年代には決しておかしなものではなかったのである。


ここで日本赤軍に戻ろう。

海外に出て、派手なテロ事件を立て続けに起こした日本赤軍はアウトサイダーそのものである。悲劇的な映画のアウトサイダーと異なり、重信房子氏をはじめとして多くの日本赤軍兵士たちは現在に至るまで生き延びている。しかし各国の警察から犯罪者として追われ、日本に帰ることは許されず、日本赤軍は永遠の逃亡者となった。「この先はない」という末期的な性格が、一九七〇年代の日本人のアウトサイダー観に合致していたのである。

このような七〇年代の古い時代感覚が、現代の新聞やテレビ、年老いた知識人たちにはいまだ凍結保存されている。安倍首相暗殺事件のテロリストを称揚し、「宗教二世」という文脈に落とし込むことで「被害者の物語」として描くという姿勢は、一九七〇年代のアウトサイダーの物語となんら変わっていない。この凍結保存されたメディアの価値観を、どう「解凍」していくのかがいま日本社会に求められているのである。

第四章 右派と左派の神話

- 天皇の政治利用がなぜ二〇一〇年代に浮上したか
- 知識人の権威はなぜ失墜したのか
- なぜ「ウクライナ人は降伏せよ」と古い知識人は言いたがるのか
- 穏健化していた社会運動は、なぜ先祖返りして過激化したか
- 自由を侵そうとする人たちはなぜ右派から左派に移ったか

天皇の政治利用がなぜ二〇一〇年代に浮上したか

山本太郎「天皇直訴」以後の現象

「天皇を崇拝する」というと、復古主義的な右翼の考えだというのが昔は当たり前だった。日本国憲法にうたわれている「象徴としての天皇」ではなく、戦前のように日本の君主としていただきたいと彼らは考えた。明治憲法の「大日本帝國ハ萬世一系ノ天皇之ヲ統治ス」「天皇ハ神聖ニシテ侵スヘカラス」への復古である。

ところが、最近はそういう復古主義がまったく別のところから現れてきている。たとえば二〇二一年の東京オリンピックの直前、立憲民主党の川内博史衆院議員が、こうツイートしてニュースになった。

〈陛下が開会式で「大会の中止」を宣言されるしか、最早止める手立ては無い。〉

これを報じた西日本新聞は、「『天皇の政治利用だ』との批判が相次いだ」と書いている。

川内氏は西日本新聞の取材に「陛下を政治利用するつもりは一切なく、利用できる立場でもない。誤解されたくないので、削除して撤回した」と答えている。

川内議員は戦前復古の右翼ではなく、リベラルを標榜する立憲民主党の議員である。そういう人がなぜ天皇陛下に政治的な言動を期待するのか。しかしこのような「天皇の発言に期待する」「天皇を忖度《そんたく》する」という左派リベラルの姿勢は、実はこのときが初めてではない。二〇一〇年代になってから頻出しているのである。

「天皇利用」を時系列に沿って追いかけてみよう。この動きが現れたのは、二〇一三年である。

最初の驚くべきできごとは、「天皇直訴」事件だった。この年の秋の園遊会で、出席したれいわ新撰組の山本太郎参院議員が、天皇陛下にじかに手紙を手渡したのである。福島第一原発事故での「子どもたちの被曝」などについて訴える内容だったとされる。

この行為について、左派系ジャーナリストの田中龍作氏は当時、ツイッターで賞賛している。


〈天皇陛下に手渡した手紙の内容は「子供と労働者を被ばくから救って下さるよう、お手をお貸し下さい」。まさしく平成の田中正造である。〉

田中正造というのは、明治時代に足尾鉱山の鉱毒事件を訴え続けた社会活動家。馬車で移動中の明治天皇に駆けよって、直訴しようとしたことで有名だ。その田中正造を山本太郎氏と同一視して褒めているのだが、明治時代とちがって現在の憲法では、天皇陛下に政治的なお願いをすること自体が、天皇の国務行為を禁じている憲法の理念に反している。

しかし山本議員は当時、ブログでこう書いた。

〈この胸の内を、苦悩を、理解してくれるのはこの方しか居ない、との身勝手な敬愛の念と想いが溢れ、お手紙をしたためてしまいました。〉

続いて、映画監督の森達也氏の衝撃的なインタビューが朝日新聞に掲載された。「内なる天皇制」と題された記事（同年十一月二十七日掲載）で森氏は、山本議員の直訴事件に触れてこう語っているのだ。

〈山本さんほど直情径行ではないにせよ、天皇に対する信頼がいま、僕も含め、左派リベラルの間で深まっていると思います〉

ここまであからさまに天皇への政治的期待を著名な映画監督が口にして、それを朝日新聞が平然と記事にしたというのは、驚くべきことである。

森氏はさらにこう語っている。

〈政治家も官僚も経営者も私利私欲でしか動いてないが、天皇だけは違う。真に国民のことを考えてくれている。そんな国民からの高い好感と信頼が今の天皇の権威になっていると思います。昭和天皇は遠い存在でした。遠くて見えないことが、権威の源泉になっていた。しかし今上天皇（佐々木注：現上皇陛下のこと）からは肉声が聞こえるし、表情もうかがえる。だから右だけではなく左も自分たちに都合よく天皇の言動を解釈し、もてはやす。いわば平成の神格化です。天皇は本来、ここまで近しい存在になってはいけなかったのかもしれませんね〉

想像でしかなかった左派リベラルの主張

続いて「天皇の政治」に期待したのは、左派リベラルの理論的支柱である思想家の内田樹氏である。同じ二〇一三年の十二月二十六日のことだ。

〈日銀や、ＮＨＫをはじめとするメディアは、人事介入でコントロールできると考えている安倍首相にとって、憲法遵守と平和主義の天皇陛下と、自国益第一のアメリカだけはコントロールできないやっかいな存在になりつつある。〉

この文筆家平川克美氏のツイートに、内田氏はこうリプライした。

〈ほんとだね。安倍首相にとって国内最大の政治的ハードルは天皇でしょう。首相の「愛国的ポーズ」に対する嫌悪感を天皇陛下はもう隠していませんから。〉

二年後の二〇一五年。五十五歳を迎えられた皇太子殿下（現今上天皇陛下）は、戦後七十年の節目についてこう語られた。

〈我が国は、戦争の惨禍を経て、戦後、日本国憲法を基礎として築き上げられ、平和と繁栄を享受しています。〉

このときわたしはツイッターを注意深く観察していたのだが、次のようなツイートがたくさん現れた。

「安倍首相の『憲法9条が日本の平和を守ってきたわけではない』という発言を否定した

ものだ」

「皇太子さま、安倍総理をやんわりと否定」

「憲法を変えたがる国賊から日本を守っていく」

二〇一六年には、天皇陛下が生前譲位の意思を発表されるという大きなできごとがあった。これは左派リベラルの人々にも恰好の材料だったようで、生前譲位を「安倍政権への抵抗だ」とする記事やツイートが大量に現れた。

たとえば、左派系メディアの『リテラ』は『明仁天皇の「生前退位の意志表明」は安倍政権と日本会議の改憲＝戦前回帰に対する最後の抵抗だった！』という記事を掲載した。

〈宮内庁関係者の間では、今回の「生前退位の意志」報道が、安倍政権の改憲の動きに対し、天皇が身を賭して抵抗の姿勢を示したのではないか、という見方が広がっている。〉

〈これはけっして、妄想ではない。天皇と皇后がこの数年、安倍政権の改憲、右傾化の動きに危機感をもっていることは、宮内庁関係者の間では、常識となっていた。〉

匿名の証言なので、「宮内庁関係者」が実在の人物なのかどうかさえもわからないし、証言の根拠も示されていない。しかしこういう言い分は、ツイッターにもたくさんあった。

わたしがこの頃収集したツイートをいくつか紹介する。

「今上陛下は、自民党の改憲をひどく嫌っていると聞く。陛下なりの抵抗かも」

「天皇自身の安倍独裁・憲法無視政治に対する政治的な精一杯の抵抗なのだろう。天皇が戦争法に泣く泣く親書された気持ちを考えると涙が出てくる」

「日本会議がプロデュースしてこれから制定されようとする改悪新憲法の下で天皇として在位するつもりは無いという陛下の堅い意思表示と読むことも出来る」

これらは投稿者の単なる想像でしかない。しかし左派のあいだでは同じような意見がたくさんあり、彼ら党派の中では「常識」として定着しているのだろう。

「世間が許さない」＝「天皇陛下が許さない」

同じ二〇一六年には、参議院の本会議で共産党の大門実紀史議員がカジノ解禁の議論でこう訴えた。

〈明治天皇も雲の上で怒っておられます。共産党頑張れと言っているんではないでしょうか。〉

賭博は明治時代に刑法で禁止されたことから「明治天皇」が出てきたのだろうが、少し前まで共産党は天皇制廃止を綱領に掲げていたことを思うと、なんとも隔世の感がある。

さらに二〇一七年。内田樹氏が保守派の雑誌『月刊日本』のインタビューに登場し「私が天皇主義者になったわけ」を話すという、これまた衝撃的なできごとが起きた。天皇制がスピリチュアルな性格を持っているから、国民を統合し「政権の暴走」を抑止することができているのだ、という論である。

〈選挙で選ばれた指導者などの世俗的な「国家の中心」とは別に、国家にはしばしば、宗教や文化を歴史的に継承する超越的で霊的な「中心」がある。日本の場合、それは天皇なのだと思う。〉（『月刊日本』二〇一七年五月号）

そういう見方をわたしは否定するわけではないが、左派の思想的リーダーがこの発言をしたのは驚くべきことである。

ここまで、時間の流れに沿って左派の「天皇利用」発言を見てきた。このように並べてみると、なんとも奇怪でしかない。なぜこのような流れが二十一世紀になって突如として起きたのだろうか。

背景には、左派やマスコミが「何をバックにして政権を批判するのか」という、その「何を」が揺らいできた問題があるのではないかとわたしは考えている。

日本のマスコミは、主語のない批判が得意である。

たとえば「……という批判はまぬがれないだろう」といった書き方がある。この書き方には「だれが批判しているのか」という主語が消失してしまっている。「私たち○○新聞はこの政策を批判する」と書けばいいはずなのに、なぜか日本の新聞はそうは書かない。新聞は自分を主語にすることはめったにないのである。

では「批判はまぬがれないだろう」と書くときの主語は、本当はだれなのだろうか。それは「世間」や「市民」という抽象的で漠然とした主体であると言われている。ところが本書の冒頭でも書いたように、この「市民」「世間」はまったく実態がないものであり、マスコミが勝手にでっち上げた幻想の主体でしかない。

「太宰メソッド」というネットのスラングをご存じだろうか。太宰治の小説『人間失格』で、友人から「それは世間が許さない」と非難されたことに主人公が「世間じゃなくて、あなたが許さないのでしょう?」と内心で反論する次のような独白から来たものだ。

〈(それは世間が、ゆるさない)
(世間じゃない。あなたが、ゆるさないのでしょう?)

〈そんな事をすると、世間からひどいめに逢うぞ〉
〈世間じゃない。あなたでしょう？〉
〈いまに世間から葬られる〉
〈世間じゃない。葬むるのは、あなたでしょう？〉〉

つまり「自分が嫌いなだけなのに、まるで社会全体が批判しているかのように見せること」が太宰メソッドである。これはまさに、新聞やテレビが「批判はまぬがれないだろう」と言っているのと同じである。彼らは昔から太宰メソッドを実行していたのだ。

しかしSNSが普及した二十一世紀には、太宰メソッドのような嫌らしい言いまわしがあることを皆が知ってしまったので、もはや太宰メソッドは通用しなくなっている。「政権は批判をまぬがれないだろう」と気軽に言おうとしても、「だれが批判してるの？」と反論されてしまうのが、いまのインターネットなのである。

そこで新たな主体をマスコミや左派が求めるようになり、急浮上してきたのが「天皇」だったのではないか。それがわたしの見立てである。

太宰メソッド的な「世間が許さない」を「天皇陛下が許さない」に置き換えてみると、まさに彼らが言ってきた「天皇利用」発言の数々にぴったりと収まる。何を主語にして批判するのか？　という難題を突きつけられ、そのつらさに耐えられなくなって、「主語」

を勝手に天皇陛下に負わせるという心象が生まれてきていたということではないか。

しかしこれは明らかな天皇の政治利用であり、非常に危険な方向である。日本国憲法ではこのようなことを認めていない。左派は「護憲」を標榜しているのであれば、たとえ憲法擁護に役立つからといって、天皇の発言を政治利用すべきではないというのは、原則中の原則ではないか。

先ほどの内田樹氏の〈首相の「愛国的ポーズ」に対する嫌悪感を天皇陛下はもう隠していませんから。〉というツイートに対して、次のような反論のリプライもあったことを明記しておこう。


〈「なら護憲派は「象徴たる天皇は、憲法に基づき選挙で選ばれた首相の政治方針に、好意も嫌悪も表明すべきでない！」と怒るべきなのでは？「偶然陛下が我々の思想と一致するのは嬉しい。だがこれは我々の問題だ」と。〉


その通りである。

右派であろうが左派であろうが、政治についての議論は、天皇陛下の意思の存在しない場所で行うというのが、良き護憲の立場であるはずだ。仮に天皇の意見と自分の意見が一致していても、それはあくまでも「偶然の嬉しさ」であって、議論がそれで左右されてはならないだろう。

本来は社会のシステムを変えていくことを目指すはずの左派が「心情」や「お気持ち」に傾斜しているのは、なんとも不思議な逆転現象である。

戦前に生まれた右翼の雄・野村秋介の有名な俳句がある。

「俺に是非を説くな激しき雪が好き」

現代の左派は、まさにこのような右派的な「是非なき」心情に陥ってしまっているのではないだろうか。

知識人の権威はなぜ失墜したのか

マスコミが持ち上げることで知識人の信頼は高まる

二十世紀において「知識人」ということばには尊敬と畏怖《いふ》があった。しかし古い知識人の権威は、二十一世紀になってあっという間に失墜してしまった。とはいえ、「知識」というもの自体が意味をなくしたわけではない。社会が複雑で多層になっているから、深く広い知識は前よりもずっと重要になっているはずなのだ。

ではなぜ知識人は失墜したのか。最大の原因は、SNSである。専門分野ではそれなりの業績を残しているような大学の先生やジャーナリストが、専門外のことにコメントしたとたんに「あれれ……？　この先生はそんなレベルの認識だったの？」と呆れられる、というような光景がSNSのそこらじゅうで目撃されるようになってしまったのである。知識人の一般的知識の薄っぺらさが露呈してしまったのだ。

冷静に考えれば、素晴らしい知識の持ち主であったとしても、専門外の分野でも素晴らしい「知」を持っているとは限らない。当たり前の話である。しかし前世紀の頃は、「知識人の先生が言うことなんだから、たぶん正しいのだろう」と、なんでも肯定的にふわりと受け止めている人が多かった。

知識人の薄っぺらさがばれなかったのは、情報のほとんどがテレビ・新聞・ラジオ・雑誌というマスコミに独占されていたからである。マスコミが知識人を尊敬し、持ち上げていれば、一般社会の人々はそれを信用するしかなかった。「独占による信頼」があったのである。

この構図はどのようにできあがったのだろうか。近代から現代までの歴史を振り返ってみよう。

十七世紀後半から十八世紀にかけてのイギリスで、「コーヒーハウス」と呼ばれる店が流行したことがある。コーヒーハウスは単なる喫茶店ではない。人々がコーヒーハウスに集まってコーヒーを飲むだけでなく、交流したり議論をしたりする場所にもなっていた。

この時代のイギリスは革命が進行していて、王様や貴族だけが権力を持つのではなく、豊かな農民や地主、資本家といった新しい社会階層が台頭してきていた。こうした人たちが、階級の壁を超えてコーヒーハウスで政治や社会の議論をするようになり、これが民主主義のいしずえになっていったと言われている。

コーヒーハウスでの議論は、社会的地位を問わずだれでも参加できた。それまで教会や国家によって禁止されていたような話題も、タブーなしに議論できるようになったという特徴もあった。

これはまさに、二十一世紀になって広まったツイッターと同じである。ツイッターでは知識人や政治家やマスコミ業界人だけでなく、だれでも自由に参加できる。マスコミによくあるようなタブーも存在しない。そして新聞やテレビの権威が否定され、殺伐としているけれども自由でオープンな議論が可能になったのだ。

コーヒーハウスとツイッターはこのように似ているのだが、コーヒーハウスはひとつ重大なハードルがあった。ツイッターは何億人も参加できるが、コーヒーハウスは参加できる人数が限られていたのだ。リアルな店舗だから当然のことである。

マスコミ間接民主主義というシステム

いっぽうでコーヒーハウスに参加したいという人は、どんどん増えていった。十九世紀ぐらいになると、産業革命が進み、経済が成長したことによって、貧しかった労働者階級が豊かになってくる。巨大な中流階級の台頭である。そうなれば、彼らも政治に参加を求めるようになる。

この労働者階級の期待に応じて、十九世紀末から熱狂的に支持されるようになったのが共産主義だった。貴族や資本家という少数派を駆逐し、労働者という多数派が権力を奪取する。そして貴族と資本家が握っていた富を全員に分配するというカール・マルクスの共産主義は、人々を痺《しび》れさせたのである。

ヨーロッパでも、そして日本でも、共産主義思想が力を伸ばし、これに不安を感じた貴族と資本家は弾圧した。それにさらに対抗して共産主義の側は武装したりテロに走ったりと、力と力のぶつかり合いへと発展していった。

しかし西欧や日本では、共産主義による革命は起きなかった。労働者の待遇が改善され、収入が増えて生活が豊かになってくると、人々は暴力革命ではなく、安定を求めるようになったからである。革命が起きたのは、まだ工業化があまり進んでおらず、労働者や農民が貧しかったロシアや中国のような国だけだった。

西欧では労働者の政治参加の機会も増え、十九世紀の終わり頃からは、大人ならだれもが選挙に投票できる普通選挙も広がっていった。

巨大な労働者層が豊かになり、政治に参加をしていく中でともに発展していったのが、新聞だった。コーヒーハウスの限界だった「参加できる人数が少ない」を乗り越える装置として、新聞が期待されたのである。

選挙を通じて労働者は政治に参加できるようになったが、選挙の前に政治家の情報を仕入れたり、どのような社会の課題があるのかを知る必要がある。そこで新聞が労働者に情報を提供し、労働者の意見を代弁し、新聞紙面で世論を形成し、それを政治につなげていくという役割を果たすようになっていったのだ。

これは、いってみれば「新聞による間接民主主義」というシステムである。二十世紀にはラジオとテレビも普及して、このマスコミ間接民主主義は完成していった。

もう一つ忘れてはならないのは、二十世紀前半には二つの大きな世界大戦があったということだ。世界大戦はそれぞれの国の総力戦で、経済や社会などのパワーをひとつに集中することが求められた。このため政府の力は強くなり、企業も合併を繰り返して巨大化した。

これによって、二十世紀のメディアの構図が完成した。労働者の政治参加と、新聞やテレビ、ラジオによる労働者の代弁と、強い国家権力という三つのパワーが相対する構図である。ここから「労働者の代わりに国家権力に立ち向かうマスコミ」というイメージも生まれてきた。そしてこの反権力マスコミの理論的な支えとなったのが、二十世紀型の知識人だった。

このような構図での知識人には、共通した特徴があった。

当事者ではない視線で上から目線で、第三者的。
批判的で懐疑的。
つねに「このままでは社会は悪くなる」と悲観的。

つまりは「反対ばかり言っている」「批判ばかりしている」というスタンスである。「強い国家権力に、労働者の代弁者であるマスメディアが対峙する」という構図である以上は、知識人には国家権力との対決を論理的に支える役割が求められていたからだ。

とはいえ、知識人が弱者だったかといえば、もちろんそんなことはない。大学や論壇、文壇などに強い立場を持っていて、権威的な人も非常に多かった。

ステレオタイプの終焉と新しい知識人の出現

しかしこの構図は、二十一世紀に入って崩壊し終わりつつある。最も大きな理由は、社会の基盤そのものが変化してきたことだ。三点を挙げる。

（1）近代の成長の時代が終わって、富の分配が難しくなってきたこと。日本は低成長にあえぎ、欧米は経済成長はしていても格差が急速に拡大している。

（2）米ソの冷戦が終わり、「共産主義対資本主義」というようなイデオロギーの対立が意味をなさなくなったこと。これによって議論をするときでも、たとえば「資本主義はけしからん」というような古いステレオタイプの主張が通用しなくなった。

（3）世界大戦からの「パワーの集中」がだんだんと解体されてきたこと。政府や大企業へのパワーの一極集中ではなく、パワーはNGOや個人のインフルエンサー、成長するスタートアップ企業などに分散されるようになった。

この三つの変化で、古いステレオタイプな知識人の物言いが一般社会に通用しなくなってしまったのである。そしてSNSの普及がトドメをさして、知識人が古くさいことを投稿するたびに矢のような批判がSNSで返される、というのが日常の光景になった。

知識人は終わった。しかし知識が必要でなくなったわけではない。それどころか、社会が複雑になって以前よりもいっそう正しい知識は求められるようになっている。そういう正しい知識をつかさどる知識人も求められているはずだ。

ではそのような新しい知識人は、どのような人たちなのだろうか。

間違いなくいま期待されているのは、二十一世紀に適合した新しい世界観を確固として持っていて、それを社会に広めようとする新しいタイプの知識人である。

ダニエル・W・ドレズナーという米タフツ大学の教授が、著書『**思想的リーダーが世論を動かす**』（パンローリング社、二〇一八年）で、疑問や批判を言うだけの古い知識人ではなく、独自の思想や世界観をつくり上げ社会に広めていく新しい知識人が台頭してきているということを書いている。

同書ではこうした新しい知識人を「ソートリーダー（思想的リーダー）」と呼んでいる。

ソートリーダーという用語はマーケティングの分野でも使われている。さまざまな分野で第一人者として業界を引っ張り、人々に新しい世界観や気づきをもたらすような人のことで、市場開拓にはソートリーダーのような人物が必要であると言われている。

オピニオンリーダーやインフルエンサーにも近い存在だが、ソートリーダーは単に影響力が強いだけでなく、独自の世界観を持ち信頼度も高いという特徴を持っている。

ドレズナーがソートリーダーの例として挙げているのは、ジョン・ミアシャイマーやジョセフ・ナイ、サミュエル・ハンティントンといった学者である。

ミアシャイマーは、冷戦後は国際秩序が変わり、ふたたびリアリズム的な外交がやってくるだろうと説いた。

ナイは「ソフトパワー」という新しい概念を示し、国の力には軍事力だけでなく、ハリウッド映画やポピュラー音楽を世界に普及させたアメリカのように、文化の力が大事だと説明した。

ハンティントンは著書『文明の衝突』(集英社、一九九八年)で、イスラムや中国などの文明が西欧と対立する新たな未来像を描いてた。

この三人はいずれも、冷戦後の新しい世界観を提示し、注目を集め世界的に信頼されている人たちである。

では、日本ではだれがソートリーダーなのだろうか。あるいは今後、どのような人がソートリーダーになり得るのだろうか。

いまのところは「この人がソートリーダーだ」と言えるような人物は思い当たらない。政治や社会にもコメントし、一般社会からの人気があるというと、真っ先に思いつくのはお笑い芸人の人たちである。わたしはさまざまな芸人さんたちと番組などでご一緒する経験があり、彼らのコミュニケーション能力や話術がとびきり優れていることは知っている。頭の回転も早く、人を惹きつける能力もある。

ただ残念ながら、お笑い芸人の人たちには「新しい世界観」というようなものはない。そういうものを求められる職業ではないからだと思う。しかし今後、たしかなブレーンをつけて世界観を呈示できるような芸人さんが登場してくれれば、ひょっとしたら日本のソートリーダーの登場になるかもしれない。期待したいところである。

なぜ「ウクライナ人は降伏せよ」と古い知識人たちは言いたがるのか

上から目線にもほどがある第三国からの発言

二〇二二年に勃発したロシアによるウクライナ侵攻では、信じられないことに「ウクライナは降伏すべきだ」と発言する学者やテレビコメンテーターがたくさん現れた。たとえばタレントのテリー伊藤氏は、ニッポン放送のラジオ番組『垣花正 あなたとハッピー！』で、こう語ったと報じられている。

「この戦争は五年十年二十年と続きます。ですからいまは、国民は一度安全な場所に移動してもう一度立て直す、という考え方はどうなんでしょうか」

「いまこの状態で、ウクライナの人がロシアのプーチンの（ためにに）※編集部注 無駄死にしてほしくないんですよよ」

フジテレビの『めざまし8』で、橋下徹氏。

「逃げることは恥ずかしいことでもなんでもない。まずは一時避難だということを勧められるような戦争指導を」

テレビ朝日の『羽鳥慎一モーニングショー』で玉川徹氏。

「死者が増えないようにするのも指導者の大きな責任ですから、なので（※編集部注 ウクライナは）誇りをもって戦っている事態ですが、どこかで引くということも考えないと」

これらの意見に、軍事や安全保障の専門家からは猛烈な反論が出ている。たとえば、モーニングショーに玉川氏とともに出演していたロシア軍事専門家小泉悠氏。

「日本の場合、自分から戦争を始めて、アメリカにものすごい反撃を食らったという事例ですよね。今回、ウクライナには何の非もないのに、ロシア側から侵攻された。早く降伏すべきだというのは道義的に問題のある議論」

安全保障の専門家である慶應大学の鶴岡路人准教授は、日本テレビの『スッキリ』でこう述べている。

「ウクライナが抵抗する気がある以上は、しっかりそれを支えるということですし、『停戦に向かっていくべきだ』とか外部から軽々に言うべきではない」

専門家でなくても「ウクライナ降伏すべし」論がかなり的外れだというのは、だれでもわかるだろう。なぜ他国が不当に侵略されている事態に、第三国のまったく関係ない人が偉そうに「降伏せよ」などと言えるのだろうか。「上から目線」にもほどがあるのではないか。

「ウクライナ降伏せよ論」の背景にある太平洋戦争

こういう「降伏せよ論」が噴出する背景には、古い知識人のナショナリズム（愛国主義）への警戒心がある。

世界的ベストセラー『サピエンス全史』（河出書房新社、二〇一六年）で知られるユヴァル・ノア・ハラリは、「ロシアの侵略を許せば世界中の独裁者がプーチンを真似るだろう」（『クーリエ・ジャポン』公式サイト、二〇二二年三月十八日）で、ナショナリズムとリベラリズムの関係について話している。ナショナリズムはどちらかと言えば右派的な思想で、リベラリズムは左派的な思想。だから相容れないものだと考えられてきた。

ところがロシアの侵略に対するウクライナの人々の抵抗によって、ナショナリズムとリベラリズムが合体するということが起きた。ハラリはこう言っている。

〈ウクライナ人は、自由な社会のために戦うのと同じぐらい、国家の自由のために猛獣のごとく戦っています。さらに彼らは、ナショナリズムとは、外国人を憎むことでもマイノリティを憎むことでもないのだと、私たちに思い出させています。〉

〈それは自国民を愛し、人が自分の未来を自由に選択するのを認めることなのです。ナショナリズムとリベラリズムのあいだの深い繋がりをヨーロッパが思い出せるなら、地域内の文化戦争を終結させることができ、プーチンを怖れる理由は何もなくなるでしょう。〉

ウクライナの人々が自国のために戦うことが、すなわち自分たちの自由を守ることにつながる。

歴史を振り返れば、そもそもヨーロッパでは近代の初めに、王政に抵抗し抑圧からの自由を求めることがリベラリズムの出発点だった。そこからリベラリズムはさまざまに変わってきたのだが、二十一世紀になってロシアが突如として古典的な戦争を始めたことで、先祖返りのようにリベラリズムとナショナリズムは手を結び直したということなのだろう。ウクライナに「降伏せよ」と言っている日本の古い知識人は、この「大逆転」が生理的に理解できていない。ナショナリズムにただ直感的に反発し、ウクライナのナショナリズムも否定し、それが「降伏せよ論」になってしまっているのだ。

古い知識人の「降伏せよ論」には、終戦時のアメリカ軍の日本占領も影響している。日本から領土を奪う野心を持たなかったアメリカは、新しい日本国憲法を制定させ、財閥解体などさまざまな民主化政策を日本に求めただけだった。米兵による暴力事件はあったが、米軍が組織的に日本人に対して残虐な行為をするというようなことはいっさいなかった。このため戦後の日本人は、アメリカを「戦争を終わらせ、善導してくれた正義の味方」というようなイメージで見るようになった。「占領軍」ではなく「進駐軍」と呼び、占領に良いイメージを持ったのである。

そういうこともあって太平洋戦争に、日本人は以下のようなイメージを持っている。

「戦争を起こした日本の軍部＝悪」
「戦災に痛めつけられた日本人＝弱者」

「戦争を終わらせ、日本を占領して民主主義国家に変えたアメリカ軍＝善」

これは単純すぎる構図である。なぜ単純すぎるのかと言えば、日本人の多くが戦争に快哉を叫んでいたことを見過ごしているからだ。

これは本書の第二章でもすでに指摘した事実である。そもそも開戦の前から戦争を望んでいたのは国民であり、戦争への期待を煽ったのは新聞だった。戦争に人々が飽き飽きし、内心だけでも反対するようになったのは、本土への空襲が本格化した戦争末期だけである。つまり軍部が悪なのであれば、国民も新聞メディアも悪だったということになる。

アニメ『この世界の片隅に』のセリフが原作と変わった理由

この隠された闇を近年になって暴いて見せたのが、大ヒットした二〇一六年のアニメ作品『この世界の片隅に』である。

終盤にこういうシーンがある。日本の敗戦をラジオで聞いた主人公すずは、家を飛び出して畑にひれ伏し、号泣する。この場面でのセリフは、原作の漫画とアニメ版では改変されている。

原作のこうの史代氏の漫画（『漫画アクション』双葉社、二〇〇七〜〇九年連載）ではこうだった。

「この国から正義が飛び去ってゆく」

「暴力で従えとったいう事か。じゃけえ暴力に屈するいう事かね。それがこの国の正体かね。うちも知らんまま死にたかったなあ……」

このシーンでは、遠くに韓国の太極旗がひるがえるのが見える。在日朝鮮人が日本の敗戦を祝っていることが間接的に描かれているのだ。原作でのすずのこのセリフには、つまりこういう意味が持たされている。

「朝鮮人を日本は暴力で従えていた。それが日本という国の正体だった。だから、自分たちも結局アメリカというさらに大きな暴力に屈しなければならなかった」

アニメ版の片渕須直監督は、セリフを次のように全面的に変えた。

「飛び去っていく、うちらのこれまでが。それでいいと思って来たものが。だから我慢しようと思ってきたその理由が」

「海の向こうから来たお米、大豆、そんなもんで出来とるんじゃな、うちは」

「じゃけ、暴力にも屈せんとならんのかね。なんも考えん、ぼーっとしたうちのまま死にたかったな」

戦中の日本人には、朝鮮や中国、東南アジアなどへの加害意識は皆無だった。だから原作漫画の「（朝鮮人を）暴力で従えとった」というセリフはまったくリアルではない。アジアへの加害の問題が日本社会で大きく浮上するのは、戦後三十年近く経った一九七〇年代になってからのことである。

これに対してアニメ版の「飛び去っていく、うちらのこれまでが。それでいいと思って来たものが」のほうが、ずっとリアルである。「戦争を肯定し、頑張ってきたのに、それが全部飛び去っていってしまった」ということなのだ。

片渕監督自身も『月刊ニュータイプ』のインタビューにこう答えている。

〈ほとんどの人がどうも大義とか正義で負けたとは思ってなくて、単純に科学力と物量で負けたっていう悔しさがあるとしかいってないなくて……。もしそうなら、あのシーンですずさんは日本という国をいきなり背負わなくてもいいんじゃないか？　と思ったんです。〉（『月刊ニュータイプ』公式サイト・二〇一六年十一月十六日）

しかしこの改変には、「アジアへの加害問題をないがしろにしている」という非難が殺到した。非難した人たちは「時代の心情とリアリティ」を知ることよりも、「いまの私たちの正義に従え」と要求したのである。これは典型的な戦後左派の考え方だが、実際のところきわめつきの歴史修正主義であり、卑怯な欺瞞である。戦時の日本人の心情をねじ曲げてまで、「国民は戦争に巻き込まれた被害者だったのだ」という弱者のポジションを維持しようとしているからだ。

とはいえ、結果的にアニメは大ヒットした。そのような歴史修正的な非難よりも、戦中派の人々の心情をリアルに描き出したことへの観客たちの共感だったのだとわたしは思う。何も引かず何も付け加えず、きちんと戦中当時の人々の心情を描けば、それは現代の日本人に共鳴するし、まっとうな反戦映画としても成立するのだ。

戦争と向き合わなかった日本人

話を戻す。「戦争を起こした日本の軍部＝悪」「戦災に痛めつけられた日本人＝弱者」という単純な構図には、もう一つ欠陥がある。この構図の中に「戦地に赴《おもむ》き戦争を戦った日本人兵士たち」が登場していないことである。日本人兵士たちは大陸でも南方でも、泥沼のような戦地で酷い目に遭った。だからといって、当時の彼らは必ずしも反戦だったわけではない。「お国のために」「天皇陛下のために」という表面上のお題目ではなく、「郷土

第二章でも触れた東條英機を独裁者として捉え、「軍部の暴走」が戦争に向かわせたとの理解が本質を見えなくする。無責任な放り出しである。

のために」「大切な家族のために」と自分に言い聞かせて戦地に赴いた兵士も多かった。

もちろん、自由にものを言えない雰囲気があったのも事実である。そのような証言はたくさん遺されているが、ここでは一つだけ挙げよう。ノンフィクション書籍『**特攻基地知覧**』（高木俊朗著、ＫＡＤＯＫＡＷＡ）には特攻機にかかわったさまざまな人々の証言が集められている。生き残った特攻隊員である河崎広光元伍長が、出撃が近づくにつれて隊員たちの口数は減っていったという証言がある。

〈操縦者を犠牲にし、飛行機を消耗するだけの戦法を強行するのは、矛盾としか考えられなかった。隊員たちは、各自がこのことを感じていたが、今さら口にだしても、しかたがないという気持であった。〉

郷土や家族のために、日本を守るために戦わなければならない。しかしこのような戦い方は本当に意味があるのか――。そういうジレンマに多くの兵士たちは苦しんだことだろう。

そしてこのようなジレンマは、戦中だけでなく驚くべきことに戦後も終わらなかった。なぜなら戦争を喝采していたはずの日本人たちが、戦後は一八〇度転回して戦争を批判するようになったからだ。手のひらを返すような日本社会の態度の変化に、元日本軍兵士たちはただ戸惑うばかりだったのである。

一九二七年（昭和二）生まれで、ぎりぎり戦中派だった作家吉村昭はこう語っている。

〈戦時中の私たちは、決して戦争を罪悪とは思わなかったし、むしろ、戦争を喜々として見物していた記憶しかない。

こうした私たちにとって、戦後から今に至るまでかまびすしくくり返されてきた戦争批判は、私たちの口を封じずにはおかなかった。〉（『戦艦武蔵ノート』図書出版社、一九七〇年）

一九二三年（大正一二）生まれの作家遠藤周作。
〈戦中派の僕らの意識は、たしかに戦争を眞剣に戦つたという責任感と、そのためにひどい目に會つたという被害者意識との二つに分れてしまつて、どこに結論をおいていいのかよく判らない。〉（『戦中派は訴える』中央公論一九五六年三月号）
このような発言について、戦後生まれの歴史学者である吉田裕氏は著書『**兵士たちの戦後史　戦後日本社会を支えた人びと**』（岩波書店、二〇一一年）でこう解説している。

〈一兵士として自己の責任を果たしたという自負心と、「一番ワリを食っ」たという被害者意識と、正当化することのできない戦争に加担したという負い目との間を揺れ動いているのが、「戦中派」だと言えよう。〉

『兵士たちの戦後史』には、復員兵が一般人から悪態をつかれたという証言が紹介されている。

〈「お前ら兵隊が負けたから内地の者まで惨めな思いをさせられるんだ！　この敗残兵野郎が！」〉

望むと望まざるとにかかわらず、兵士たちは戦争に赴いて戦った。戦争中は国民から英雄的だと思われていた彼らの行為は、戦後になって断罪されてしまう。「自分が命がけで戦ったあの行動を、全面的に間違いだったと言われても……」という気持ちを持つのは当然である。単純に「太平洋戦争は間違いだった」と割り切れるはずもなく、かといって「聖戦だった」とも言えない。

重いわだかまりを抱えて、大正生まれの兵士たちは長い戦後を生きたのだった。それは戦後生まれで戦争を経験しなかった団塊の世代が、気楽に「反戦！」と叫んだのとはまったく違う重いジレンマがあった。

このジレンマは、日本人が戦争にきちんと向き合わなかった、向き合えなかったことに原因がある。国民が熱狂し、新聞が煽動し、その世論に軍が乗ってしまった太平洋戦争を、戦争が終わってからは新聞も国民も「すべては軍部の暴走」と片づけて、みずからの責任に思いを向けることはなかった。自分たちを戦争の当事者として見ることから逃げたのである。

この無責任な放り出しは、日本の戦後処理をいびつなものにした。だれも太平洋戦争を自分ごととして認識することができなくなってしまったからである。

戦争の当事者を「軍部」というもはや消滅した遠くにあるものに負わせ、自分たちはちゃっかり被害者側を代弁するかのように弱者ポジションを奪ってしまったのである。

郷土、家族のために戦うことを認識できない

この「放り出し」問題を、みごとに浮き彫りにした映画作品がある。二〇一四年に日本でも公開された『**レイルウェイ　運命の旅路**』というイギリス・オーストラリア合作映画である。戦争中に日本軍は東南アジアに兵を進めて占領し、イギリスやオーストラリアな

どの兵士たちを捕虜にした。このときに日本の捕虜となって、タイとビルマを結ぶ鉄道の建設に駆り出されたイギリス軍兵士エリック・ローマクスの手記を原作にしている。

映画は以下のような物語である。ローマクスは捕虜収容所で日本兵から拷問を受け、それが戦後もPTSDとなって彼を苦しめ続けた。そんなときに戦友のひとりから、捕虜収容所で通訳を務めていた日本人の男が、タイで戦争体験を語り継ぐような仕事をしているという記事を教えてもらう。

ローマクスは復讐のため、自分の無残な戦後に決着をつけるため、ひとりタイに向かう。この実在の通訳永瀬隆を、真田広之が演じている。タイでローマクスと対面した永瀬は、実に淡々と「戦後は連合軍の戦争墓地の調査隊に同行し、たくさんの捕虜の遺体を発見して、運んできちんと埋葬したんだ」と説明する。

ここからの映画のセリフを、書き起こして紹介する。

ローマクス「自分が捕虜収容所で殺させた人々を、戦後に埋葬したのか？」

永瀬「多くの遺体を見て、そのとき知ったんだ……想像もしなかった。あれほど大勢死んだとは」

ローマクス「『死んだ』じゃなく、『殺された』。殺された、というべきだろう。大勢殺された、と。そう言え」

永瀬「そう、殺された……そうとも、それを知ったんだ。あまりにも大勢殺されていた。だからわたしはそれを語り継ぐ。わたしは巡礼をするんだ。和解のために力を尽くすんだ。この戦争の悲劇を、決して忘れさせない」
ローマクス「これは悲劇じゃない！　これは犯罪だ。何が悲劇だ、おまえは犯罪者じゃないか。おまえは頭もよく教育も受けていたのに、何もしなかった。犯罪者で嘘つきだ」

無責任な「放り出し」が、実にわかりやすく描かれているではないか。「悲劇」ということばには、「自分が戦争を引き起こしたわけではなく、どこかのだれかが起こしたものだ」という「他人ごと」感がある。しかし拷問され殺害された側から見れば、こんな無責任なことはない。ローマクスが激高したのも当たり前である。

そろそろ結論へと急ごう。この無責任な「放り出し」は、戦争が終わって八十年近くも経ってから、ついにしっぺ返しを食うことになった。ロシアによるウクライナ侵略戦争の勃発である。

ロシアに立ち向かって、ウクライナの兵士たちは必死で戦っている。アメリカでもヨーロッパでも、西側諸国はこぞってウクライナをあらゆる面から支援し、協力している。

しかし戦争の責任を放り出し、戦った日本軍兵士たちを一顧だにしなかった戦後の日本人たちは、ウクライナの兵士たちにどう向き合っていいのかわからない。「国のために、郷土のために、家族のために侵略と戦う」という行為を、どう認識していいのかわからず、頭脳がバグって停止してしまっているのである。だから「降伏せよ」などという突拍子もない意見が脈絡もなく飛び出してしまったのである。

このおかしな言論の状況から脱するには、どうすればいいのだろうか。

そのためには、無責任な「放り出し」をいまここできちんと認識し、戦地に赴いた日本軍兵士たちのわだかまりをわたしたちが初めて受け止めることである。そして「侵略と戦う」「郷土のため、家族のために戦う」という行為はどのような意味を持つのかを、根幹から議論することが必要なのだと思う。

穏健化していた社会運動はなぜ先祖返りして過激化したか

ネット炎上を社会現象規模で捉えてはならない

ＳＮＳが社会を分断し、政治的な対立を深刻にしている——。そういう言いまわしをよく目にする。本当なのだろうか。

ツイッターは二〇〇九年頃から日本で広まり始めたが、当時はとても牧歌的だった。「ランチなう」といった言いまわしで、ささやかな楽しい日常をつぶやく場所だったことを懐かしく覚えている人も多いだろう。しかし二〇一〇年代に入ると、だんだんと政治的になり、過激で攻撃的な投稿があふれるようになった。いまの荒涼としたツイッターを見ていれば、「社会を分断している」というのは当たっているように見える。

しかし、実はそうではないことがいくつもの研究によって指摘されている。アメリカの社会心理学者、ジョナサン・ハイトは『アメリカ社会がこの10年で桁外れにバカになった理由』（『クーリエ・ジャポン』公式サイト、二〇二二年六月十二日）で、ＳＮＳは社会のすべての人たちを分断しているのではなく、少人数の過激なグループの分断を深めているだけなのだと指摘している。アレグザンダー・ボールとマイケル・バン・ピーターセンという二人の政治学者の調査研究を紹介し、次のように書いている。

〈ソーシャルメディア上で地位の獲得に汲々とし、そのためなら進んで他者を傷つけるのは、ある少数の人々のグループであるという。〉

〈ボールとピーターセンは八つの調査を通じて、ほとんどの人々はオンライン上だからといって、普段より攻撃的にも敵対的にもならないことを発見した。むしろオンライン環境は、もともと攻撃的な少数の人々が多くの犠牲者を攻撃することを許してしまっているのだ。〉

〈少数の嫌な奴らが、討論の場を支配してしまう場合もある。というのも、普通の人たちは、オンライン上の政治的な議論から簡単に撤退してしまうからだ。〉

これは日本のツイッターにもまさに当てはまる現象だ。「少数の嫌な奴らが、討論の場を支配」は、まさに日常的にわたしたちが見ている光景である。

ハイトは、モア・イン・コモンという団体による調査結果も引用している。アメリカには最も右翼的な「献身的保守派」が人口の六パーセント、最も左翼的な「進歩派アクティビスト」が人口の八パーセントいるのだという。

この左翼的な「進歩派アクティビスト」がSNSでは最も活発なグループで、過去一年でこのグループの七〇パーセントの者が政治的な投稿を共有していたという。ついで「献身的保守派」が五六パーセント。そしてこの二つのグループは、白人と富裕層の割合が多いこと、倫理や政治について均一な価値観を持っていることで似ているのだという。

なぜ均一な価値観に染まっているのか。極端な彼らは、自分たちの党派の主流の意見と少しでもちがう意見を見つけると、袋叩きにするからだ。ハイトは、身もふたもなくこう書いている。

〈政治的過激派は敵対する者だけを射るのではなく、自陣営における反対者や、より繊細な考えの人々に対しても矢の雨を降らせるのだ。かくして、ソーシャルメディアは妥協に基づく政治形態を機能停止へと追い込むのである。〉

異端を見つけては魔女狩りをする人たちが増えれば、SNSでの議論などできなくなってしまうはずである。おだやかで良心的な人たちはそういう魔女狩りの場から距離を置くようになるので、SNSでは分断と対立が激しくなっているように見えてしまう。

このような「一部の人が過激になっているだけ」は日本の研究でも明らかにされている。慶應大学の田中辰雄教授と国際大学グロコムの山口真一准教授の『**ネット炎上の研究**』

（勁草書房、二〇一六年）は、「ネット炎上」にかかわった人の数や特徴を定量的に実証分析した本である。炎上に加わって悪口や攻撃的な投稿をした人の数は、驚くべきことにインターネット利用者のわずか〇・五パーセント。個別の炎上事件になると、書き込む人は小数点以下三桁ぐらいに少なく、人数は数千人程度。さらにその中でも、当事者を攻撃してアカウント閉鎖に追い込むような人はせいぜい数人から数十人ぐらいしかいないのだという。

〈炎上事件が起こると、ネット中が批判のあらしになり、全ユーザから責められているような気持ちになるが、実際に騒いでいるのはごく少数である。〉

〈炎上を、お祭りやネット上の文化対立、あるいは大衆的な社会運動と同列の社会現象ととらえるべきではない。参加者があまりに少数だからである。炎上事件の特徴は、ごくごく少数の参加者が社会全体を左右する大きな影響を持ってしまったことにある。〉

革命の闘士たちはマスメディアへと流れた

それにしても、ＳＮＳの普及という後ろ盾はあったとはいえ、なぜこれほど政治的に過激になる人が目立つようになったのだろうか。

これを日本の現代史をもとにひもといてみよう。

一九六〇年代の終わり頃に、日本で革命運動の大きなうねりが起きた。になったのは、当時大学生だった戦後生まれの「団塊の世代」である。

学生運動については第三章でもくわしく書いたが、このような運動が起きた背景には、さまざまな要因がからんでいる。

アメリカやヨーロッパで、ベトナム戦争への反対運動が盛り上がっていたことに触発されたこと。

かつてはエリートの象徴で「末は博士か大臣か」と言われた大学生が、人数の多い「団塊の世代」が進学するようになって「どうせしがない会社員になるだけ」の存在になってしまった現代的不安。

世代間対立。団塊の世代の親世代は、大正生まれの「戦中派」と呼ばれた人たちである。戦地に赴いた兵士たちもこの世代だった。彼らは戦後、戦争を否定されたことで深いわだかまりを抱いていたというのは先に解説した通りである。戦後の反戦的な空気の中でも、戦中派の人たちは心情的には戦前をどこかで懐かしんでいた。団塊の世代には、この親世代への反発があった。

どの時代でも、親と子の価値観はつねに衝突し、子は親の価値観に反発するのが世のつねである。団塊の世代である子どもたちが、戦中派の親たちの価値観に反発し、左派的な思想への傾斜を強めたという面もあったのだ。

さて革命運動は一九六九年頃に最高潮に達したが、中心の世代が大学を卒業するのと同時に、潮が引くようにしぼんでしまう。一九七二年には凄惨な連合赤軍・山岳ベース事件が起き、中核派や革マル派などが対立して血で血を洗う「内ゲバ」が相次ぐと、一般社会からも呆れられてあっという間に終了してしまった。

団塊の世代の若者たちは、一九七〇年代に入ると就職して、社会へと入っていく。一九七五年に発表されたユーミン作詞作曲の『「いちご白書」をもう一度』は、この頃の心情を歌った名曲である。

〈ぼくは無精ひげと髪を伸ばして　学生集会へもときどき出かけた　就職が決まって
髪を切ってきたとき　もう若くないさと君に言い訳したね〉

このような「学生集会へもときどき出かけた」程度の学生であれば、普通の就職はできただろう。だが革命運動に強くコミットしていた若者たちは、一般企業への就職に苦労した。その結果、思想的なことに比較的寛容だった新聞やテレビ、出版などのメディア業界に多くが流れ込んでいったと言われている。

このあたりの経緯はわたし自身も新聞記者時代に、革命運動の闘士だった上司や先輩たちから酒の席でさんざんに聞かされた。

「佐藤訪米阻止闘争のときはすごかったなあ」

「そうそう、みんな逮捕されてたいへんだった」

「王子野戦病院闘争ぐらいから、石を砕いて投げるようになったんだよねえ」

そういう話題で、団塊の記者たちは必ず盛り上がっていたのである。

革命運動からマスコミへの人材の大量流入。これが一九七〇年代以降のマスコミの空気を決定づけ、二十一世紀のいまに至るまで古くさい左派色を色濃く残し続けている遠因ではないか。わたしはそうにらんでいる。

少人数で対立を煽るＳＮＳ空間の「先祖返り」

革命運動の就職口になっていたのは、マスコミだけではない。地方公務員や教員、生協もそうだったというのは知る人ぞ知る事実である。わたしが一九七〇年代初めに通っていた愛知県の片田舎の小学校にも、非常に左派色の強い先生がいた。その先生がわたしの学級の担任になったのは、連合赤軍事件の翌年の一九七三年のことだった。

先生は道徳の授業で、副読本として北朝鮮の「朝鮮少年団」の活躍を描いた児童小説を選んだ。

北朝鮮の映像では、赤いネッカチーフをした子どもたちが登場することが多い。あれが朝鮮少年団である。配られた道徳の副読本には、少年団の団員たちがみずからの命をもかえりみずに村の危機を救った話などがたくさん掲載されていた。

あるとき、授業中のちょっとした発言が理由でわたしは先生の逆鱗に触れ、放課後も教室に残されて長く厳しい説教を受けた。先生は副読本を開き、「おまえのやっていることは、この少年団員とは真逆だ。おまえみたいな人間は、決して北朝鮮の少年団には入れない」と、ことば鋭く言いわたされたのを覚えている。

一九七〇年代には、このような政治的な風景が当たり前だったのである。

とはいえ革命運動が潰れてからは、社会運動は全体として穏健になり、扱うテーマも「政府打倒」「反米」などではなくなっていった。中核派や革マル派などの一部の「過激派」を除けば、環境問題や女性の権利、障がい者対策などにテーマがシフトしていったのである。

法政大学の西城戸誠教授らによる研究『戦後東京における社会運動の変容：イッシューリレーションアプローチによるイベント分析』（二〇〇七年）は、この変化を朝日新聞に掲載されたイベントや集会などの数と内容から定量的に調べている。この研究によると、一九八〇年代以降はイベントや集会そのものの数は大きくは減らなかったが、抗議や激しい形態のイベントは減少傾向にあったという。「抵抗」や「抗議」ではなく、住民や市民の主体的な活動に変化していったというのである。

〈社会運動は停滞したわけではなく、穏健な形態へと変容したのだと考えられる。〉

〈穏健な行為形態は、行政への陳情や申し入れといった制度政治への働きかけが多く含まれる。〉

社会運動は、行政に関与して問題解決へと持っていく方向へと進んでいった。このあたりの流れは、一九八〇〜九〇年代に新聞記者をしていたわたしの実感とも整合している。そしてこの流れの先に、二十一世紀に社会運動にかかわっている若者たちの健全な感覚がある。たとえば、現代の社会運動の代表的存在であるNPOフローレンスの駒崎弘樹氏や一般社団法人ネクスト・コモンズ・ラボの林篤志氏らが、積極的に政府や自治体などの行政機関にコミットして社会を変えようとしていることはその象徴的なケースである。彼らだけでなく、わたしが触れる機会のある若者たちは、大半がそのような姿勢を持っている。

しかしSNSでは、まったく逆に奇妙な先祖返りが起きている。まるで一九六〇年代の革命運動のような「抵抗」や「抗議」に没頭し、対立を煽る人たちが目立つのだ。

一つの理由は、先に書いたようなSNS特有の性質である。もともと攻撃的な少数の人々が目立ち、彼らが多くの犠牲者を攻撃するようになってしまっていることだ。

いまの若者たちに見るように、日本社会全体では穏健でリベラルな価値観が広がり、社会に参加して改善していこうという運動が増えている。しかし、その状況に不満な人たちが先鋭化し、特定少数のグループをつくってSNSで攻撃を重ねているという実態がある。

ツイッター過激化の背景に団塊の世代の参入

この構図には、もう一つ隠れた要因があるとわたしは考えている。

それは「二〇〇七年問題」である。

二〇〇七年問題とは何か。二〇〇七年は、数の多い団塊の世代が大量に企業から退職するようになった年である。当時はそれを「団塊の社員たちが持っていたさまざまなノウハウやスキルが失われる」という文脈で語られた。しかし彼らの大量退職は、いまでは別の意味も持つようになっている。

二〇〇七年以降に何が起きたのかを時系列で見よう。

二〇〇八年。リーマンショックが起きて、「右肩上がりの成長」への期待がまたも失わ

れる。

二〇一一年。東日本大震災と福島第一原発事故が起き、放射能パニックが広がり、放射能デマにだまされる人が多発する。同時に、これをきっかけにツイッターが日本社会に一気に普及する。

二〇一二年。第二次安倍政権が成立。安倍政権は戦後の政治体制を一新し、安全保障や憲法改正などそれまでタブーとされていた政策課題に強く踏み込み始める。


二〇〇七年に退職した団塊の世代は、二〇一一年頃からツイッターに大量に流入するようになる。高齢者と思われるようなプロフィールをよく目にするようになったのは、この頃からである。彼らが福島第一原発事故と第二次安倍政権に不安を感じ、そして青春時代の革命運動への憧れを再燃させ、それが彼らを「抵抗」「抗議」へと目覚めさせ、過激化していったのではないだろうか。

これは定量的に調べた結果ではなくあくまでもわたしの推測でしかないが、時間的な整合性はある。最近の政治的に過激なツイッター投稿の文面には「日和見主義者」「政権のポチ」「首を洗って待っていろ」など現代ではほとんど見ない、まるで昔の過激派の機関紙の言いまわしのような文言さえ使われるようになっている。ツイッターだけを見ていると、まるで一九七〇年代の内ゲバ闘争を眺めている錯覚に陥るほどだ。

　要するに現在のツイッターは、団塊の世代の青春回顧なのである。そしてこういう青春回顧運動を、革命運動からかつて人材を大量に引き受けたマスコミが支えるという奇妙な構図ができあがっているのが、二〇二〇年代の日本のメディア空間なのである。

　しかしこのようなゆがんだ構図は、いずれは終わる。団塊の世代は後期高齢者に達して、社会から退場しつつある。新聞やテレビも、以前ほどの影響力は持てなくなってきている。若い人たちの穏健で良識的な社会運動の広がりによって、今後はメディア空間も少しずつ改善されていくだろう。そう期待したい。

自由を侵そうとする人たちはなぜ右派から左派に移ったか

性の解放をめぐる右派と左派の逆転

最近になって、アダルトビデオやポルノ、さらには性産業そのものをも排除しようという動きが進んでいる。前世紀には「性を解放せよ」という運動があり、表現の自由もだんだんと進んできたはずなのに、なぜこのような逆転現象が起きているのだろうか。

さらに驚きなのは、この動きを推し進めようとしているのが左派の人たちということだ。ワイセツなものを社会から排除しようとしたのは、前世紀には圧倒的に「保守」「右派」だった。

戦前にまでさかのぼると、禁酒禁煙や公娼制度の廃止をとなえ、「結婚するまで性交渉を行わない」という純血運動を行っていたのは、宗教右派の「日本キリスト教婦人矯風会」という団体である。戦後になると一九五〇年代、いまでは信じられないが手塚治虫の漫画を「子どもに害悪だ」「ハレンチだ」と糾弾する「悪書追放運動」が起きた。この運動は保守派や警察組織が中心となっていた。

このような排除に一貫して抵抗していたのは、当時は左派寄りの文化人たちだったのである。有名な事例として、『四畳半襖の下張』事件がある。文豪永井荷風が大正時代に書いた小説で、雑誌に発表されたものとは別に、ひそかに流通していた「春本」版、つまりポルノ小説版があった。さすがの文豪の巧みな筆致で、セックスシーンを当時としては信じられないほどエロティックに激しく描き、表に出すことはできず、ひそかにアングラで流通していた。

このアングラな春本版を一九七二年、当時人気のあった『面白半分』という雑誌が掲載した。編集長は、『火垂るの墓』などで有名な作家野坂昭如である。警察はこの号を摘発し、出版社の社長と野坂をわいせつ図画販売で書類送検し、起訴した。

この摘発に猛反発したのが、左派文化人たちだった。裁判では作家丸谷才一が「特別弁護人」に専任され、五木寛之、井上ひさし、吉行淳之介、開高健、有吉佐和子といった当時抜群に知名度のあった有名作家たちが次々と法廷で証言に立ち、『四畳半襖の下張』の芸術性などについて訴えた。裁判は最高裁まで争われ、最終的に被告ふたりの罰金刑が確定している。

時代を下ると、一九九九年に男女共同参画社会基本法が施行される。この時期からジェンダー平等が言われるようになったのだが、これを「フリーセックスと同じ意味」「性教育が過激になっている」などと非難したのは、やはり保守派だった。このとき、自民党には「過激な性教育・ジェンダーフリー教育実態調査プロジェクトチーム」が保守派議員の主導で設置されたが、その座長になったのはまだ四十代だった安倍晋三元首相である。

ところがその後の二十年で、風景は一変する。

二〇二二年に暗殺された安倍元首相に対し、国連女性機関は追悼をツイートしている（七月九日）。

〈#HeForSheチャンピオンであった安倍晋三元総理の悲報に接し悲しみに暮れています。日本国内外におけるジェンダー平等のための彼のリーダーシップと献身は大変高く評価されていました。〉

二十年前にはジェンダー平等を非難していた安倍元首相が、長い政権運営のあとに「ジェンダー平等のためのリーダーシップと献身は高く評価されていた」と賞賛されるようになったのである。

これとはまったく逆に、左派寄りの女性解放運動だったはずのフェミニズムが、道徳的な宗教右派であるキリスト教日本矯風会と接近するという驚くべき動きが起きている。日本のフェミニズム運動の中心人物のひとりである北原みのり氏がツイートしている（二〇二〇年五月二十八日）。

〈「日本のフェミニズム」（※佐々木注：北原氏が責任編集した書籍のタイトル）は日本初の女性団体で婦人参政権運動を始めた矯風会を再評価しました。矯風会＝保守という90年代からの思考停止状態から一歩前に進みたいという思いです。〉

この投稿に、セックスワーカーの当事者の団体である「ＳＷＡＳＨ」代表の要友紀子氏は、反論のリプライをしている。

〈矯風会は日露戦争以降、一貫して戦争支持の姿勢を貫き、軍部に協力し、満州事変では海外の婦人団体の批判を無視して関東軍を支持しました。また、戦時において純潔運動や風紀粛清運動を担いました。〉

〈矯風会は宗教的道徳団体であり、人権運動ではないし、婦人運動でもありません。〉

〈根底にあるのは売春婦に対する蔑視であることは伊藤野枝が批判している通りです。〉（五月二十八日）

清潔さへの過剰な傾斜で排除される人々

なぜ右派と左派のあいだで、このような驚くべき一八〇度の転回が起きてしまったのだろうか。

日本社会があまりにも清潔感を求めるようになったから、という指摘がある。

精神科医の熊代亨氏は著書『**健康的で清潔で、道徳的な秩序ある社会の不自由さについて**』(イースト・プレス、二〇二〇年)で、現代の過剰な清潔さを指摘している。引用しよう。

〈清潔で安全・安心な秩序は平成時代をとおして間違いなく進展し、いやな臭いも不潔な場所もどんどん減った。ホームレスは福祉政策をとおして社会のなかへ再配置され、若い世代の犯罪率も下がっていった。〉

〈そのかわり、この秩序からはみ出さざるを得ない者、これらの点に関するマイノリティにとって、この社会はどこへ行っても不快がられ、どこへ行っても不審がられ、せいぜい繁華街の雑踏にまぎれて透明人間になり、息をひそめなければならないものでもある。秩序の内側に踏みとどまるためには、臭わないよう清潔を心がけ、服装に

も注意を払い、挙動不審と思われない行動や振る舞いを心がけなければならない。〉

清潔になじめない人は、時に排除されてしまうのがいまの日本社会だという。ここで書かれているのはおもに街の清潔さについてだが、この問題はポルノなどのアングラな文化にも当てはまるだろう。

熊代氏は、別の著書『「若作りうつ」社会』（講談社現代新書、二〇一四年）で、いまの日本社会からは「大人になって成長し円熟する」というモデルが消滅しているとも指摘している。年齢に限らず、みんなが若者的な心情になってしまっているというのだ。

〈アニメや漫画は言うに及ばず、ドラマや映画の世界でも、結婚前の若い男女が活躍する作品が主流を占めています。高齢化社会を迎えたことを思えば、父や母、祖父や祖母がストレートに感情移入できる作品がもっと増えてもよさそうなものですが、現実には、そのような年長者向け作品はあまり増えていません。〉

たとえばフランスなど欧州の映画では、恋愛映画の主人公は中年男女であることが多い。日本の恋愛映画はティーンエイジャーを描くことが近年圧倒的に多い。あまりにも「幼さ」「若さ」にこだわり過ぎているというのは、たしかにその通りだろう。そういう若さ偏重の文化にどっぷりと浸って、日本人は年を重ねても「自分探し」に明け暮れる。〈拠《よ》り所《どころ》もアイデンティティも空白なままの、どこか重量感に欠けた〝思春期おじさん・おばさん〟がたくさんできあがった〉と熊代氏は指摘する。

大人としての成熟というのは、過剰な清潔さ、過度なピュアであることから脱却していくということである。若い頃の理想はいつでも素晴らしい。しかし大人になって社会への認識が深まると、素晴らしい理想だけでは社会は回らないことが実感としてもわかってくる。現実の汚らしさも直視しなければならなくなる。しかし理想を捨てることもせず、汚い現実も直視し、地道に社会を改善していこうとするのが成熟した大人らしさである。

成熟は、過度に清潔であることから脱し、汚れも自分の人生の一部として引き受け、そういうグレーの地点を自分の居場所として納得させるということなのである。

若さにこだわるということは、いつまでも自分が清潔であることに固執し続けることである。グレーであることを拒否し、自分が清浄な場所にい続けようとすることである。空想の中で自分を理想化していれば、自分の汚いところや自分のダメなところを直視しないで済むのだ。

二十世紀の終わり頃から今世紀にかけて、このような清潔さへの過剰な傾斜が日本社会に蔓延していった。

熊代亨氏は、日本の街が平成の時代に非常に清潔になったと書いている。これは一九六一年生まれのわたしの実感とも一致する。わたしが思春期を送った一九七〇年代は、日本の街はたいていうす汚れており、駅のホームには痰壺があり、公衆便所は足を踏み入れるのも恐ろしい空間だった。

一九八〇年代のバブル経済の頃に、日本の街は一変する。土地を強引に買い取る「地上げ」が横行して古い木造家屋が次々と壊され、ピカピカのビルが増えた。防臭・脱臭を意味する「デオドラント」が流行語になった。生活文化も豊かになり、古い大衆食堂に代わってイタリアンやフレンチのレストランを当たり前に目にするようになった。和風の木造モルタルアパートに住むような「貧乏くささ」が薄れ、システムキッチンとユニットバス、広いリビングルームに象徴されるようなこざっぱりした住まいへと変化した。

一九七〇年代までの日本の泥臭さや封建的な文化を、バブル期はデオドラントし、清潔な世界へと変えたのである。

会田誠『犬』シリーズの排除に動いた左派

こうした清潔になった日本のバブル文化を代表するミュージシャンに、ユーミンこと松任谷由実がいる。一九九七年、音楽評論家の近田春夫氏は週刊文春の連載『**考えるヒット**』で彼女についてこう書いた。

〈彼女の我が国における仕事とは、びんぼうくささのデオドラントにほかならない。〉

土着的な貧乏くささの臭いを消して、二十世紀終わりの日本は清潔になった。その清潔さが過剰に進んでしまったことで、ワイセツなものや不浄なもの、つまりポルノや性産業の排除へとつながっていったのではないかとわたしは考えている。

しかしこのような方向は、文化の破壊になりかねない。

なぜなら文化は、泥くさく不潔なものと不可分だからである。

そもそも多くの文化は、不浄なところから生まれてくる。一九七〇年代に人気のあった日活ロマンポルノからは、滝田洋二郎や相米慎二、若松孝二など幾多の天才映画監督を輩出した。ポルノ雑誌も同じである。ヌードとヌードのあいだには、だれが読んでいるのかわからないような文字ばかりでひっそりとした白黒ページが必ずあった。こういう場所で原稿を書く下積みからスタートし、経験を重ねて優秀なライターや編集者になっていった人は多い。

これは一九七〇年代だけの特異な現象だったわけではない。現代のツイッターでも、素晴らしく面白い投稿をしていた人が注目を集め、著作を出すようになり、そのままプロに転向するというケースはよく目にする。ツイッターは「便所の落書き」などと呼ばれているが、便所の落書きがプロを輩出しているのである。

山岳に頂上とすそ野があるように、文化にも頂上とすそ野がある。上澄みと澱《よど》みと言い換えてもいい。富士山は日本一高い山だが、そこまで高くていられるのは、広いすそ野が支えているからだ。文化もそれと同じである。不潔な澱みこそが、実は上澄みである高尚な文化を支えている。上澄みだけでは文化は持続できず、すそ野と上澄みの循環があってこその上澄みなのである。その構図を理解せず、上澄みを享受している自分だけが正しい文化の担い手であり、「すそ野のようなゴミは切って捨てていい」と考える文化人がいるとしたら、それは傲慢というものであろう。

いま日本で一部の人たちがアダルトビデオやポルノ、さらには性産業そのものをも排除しようとしていることは、このような思考とまったく同じである。

文化に限らず、不浄で猥雑なものを切り離して、清潔なものだけが存在する社会というのはあり得ない。それは「退廃芸術」を排除しようとしたナチス全体主義のような清潔なディストピアでしかない。

現代アーティスト会田誠氏は著書『性と芸術』（幻冬舎、二〇二二年）で、ポルノと芸術の関係について鋭く考察している。

会田氏には、「手足を切断され犬のように首輪をつけられた美少女」というスキャンダラスな問題作がある。このシリーズは、そのものずばり『犬』と名づけられている。一九八〇年代から制作されていたが、二〇一三年に六本木の森美術館で展示されたときに「ポルノ被害と性暴力を考える会」という市民団体からクレームがついた。まさに左派系の運動がポルノなどを排除しはじめていたタイミングでの騒ぎである。

このクレームに対して、会田氏は「言うまでもなく『犬』は『お芸術とポルノの境界は果たして自明のものなのか？』という問いのための試薬のようなもの」と投稿している（二〇一三年一月二十九日）。

このときにネットで会田誠氏を擁護した人がおり、「会田の作品は芸術ではあってポルノではない」と投稿した。これにポルノ愛好家が反発する場面があったという。そのときの場面を振り返って、会田氏は『性と芸術』で「引き裂かれた複雑な心境」だったと書いている。

どういう意味なのだろうか。

同書によると、ヌードには三つの世界があるという。

「古代ギリシャにさかのぼる、西洋近代美術としてのヌード画」
「欲情したい人に応えたポルノ産業」
「批評性のある現代アートとしてのヌード」

この三つのヌード世界は、まったく接点もなく存在してきた。そのことを会田氏は理解したうえで、三つを混ぜてできあがったのが『犬』シリーズだったのだという。つまりただの古典的アートではなく、ただのポルノでもなく、ただの現代アートでもない。アートでもあり、ポルノでもある。そういう領域こそが、実はアートそのものであると会田氏は考えたのだ。

これは「上澄みと澱み」に重なってくる。上澄みがアートで、澱みが不潔で排除されるものなのではなく、上澄みも澱みも混ざり合っているものこそがアートなのだ。

会田氏は、アートはデモ行進のプラカードではないと言う。

〈少女を裸にして手足を切った絵の作者は「少女を裸にして手足を切りましょう」という主張をするために、それを描いたと思うだろうか。もしそう思う人がいたとしたら、その人は「この世の表現はすべて政治的なキャンペーンのポスターみたいなものだ」と思う病気に罹っている（この表現がきついなら、認知の歪みを抱えている、に言い換えよう）〉。

あるいは「女性は（実際的にであれイメージ的にであれ）性的に搾取されている」と告発するために、あえてそういうものを描いたと？　それも同じことだ。その作者は当然、そういう意図も含めているだろう。そんなことは見れば分かる。しかし恥ずかしくて自分からそんなことを口にするのは控えるだろう――その作り手がマトモな芸術家ならば。〉（『性と芸術』）

そしてこう断言する。

〈そういった2つの単純なスローガンの間に横たわる広大な部分が、芸術の領域だ。それはおそらく「全人間性の領域」なのだ。〉

このような哲学こそ、いまの日本社会にも求められているのだとわたしは考える。

差別は解消されても社会運動は持続していく

いったん話を戻そう。

穢《けが》れて不浄で猥雑なものを社会から切り離そうとするのは、かつては保守・右派が求めていた。彼らの中には「日本の伝統には穢れのない美しい世界がある」という信念があったのだろう。まったく同意しないが、その思考は理解できる。

しかしこの「穢れの排除」は、二十一世紀に入って左派に移った。

これは歴史の流れからも、非常に不思議な転回である。そもそも現在の左派の源流である一九六〇年代の新左翼運動は、ヒューマニズムや理性といった社会の偽善を否定し、より自分たちの原始的な本能に寄り添おうというラジカルな思想も持っていた。だからかつての彼らは性の解放を求め、ミニスカートを擁護したのである。ラジカルだったはずの左派が、なぜ宗教右派のような保守的な思想に変わってしまったのか？

『「社会正義」はいつも正しい　人種、ジェンダー、アイデンティティにまつわる捏造のすべて』（ヘレン・プラックローズ／ジェームズ・リンゼイ、山形浩生／森本正史訳、早川書房、二〇二二年）という本がある。この本は、なぜリベラルや左派が、表現の自由を抑圧する側にまわったのかを精密に分析している。

この本の前提となっている認識は、リベラリズムが求めてきた人権重視や平等、差別の解消といった抑圧が、二十世紀後半にはかなり解消されてきているということだ。もちろん「無意識の差別」のようなものはあちこちに残っているが、それらは無意識だからこそ残ってしまっているのであり、表に出たとたんに、社会の多くの人に「それは差別だ」と認識されるようになり、結果として差別が解消されるというようなことも繰り返されている。

その一例として、わたしも患者である潰瘍性大腸炎という難病への差別が挙げられる。わたしが発症した二〇〇一年頃はこの難病があまり知られておらず、大腸から出血して下血するという症状を説明するとバカにされたり、胃炎と混同されて「お酒の飲み過ぎでしょう」「暴飲暴食やめなきゃ」と諭《さと》されたりした。原因不明で完治しない難病であるという認識がないことが、このような無意識の差別につながってしまっていたのである。

しかし、故安倍晋三元首相がこの病気であったことがきっかけで社会に広く知られるようになった。いままでは潰瘍性大腸炎がバカにされることはほとんどない。無意識の差別だったものが、表に出たことによって「差別してはいけないのだ」という当然のこととして認識されるようになったのである。

差別はいまも完全にはなくならないが、「差別はいけない」という意識は当たり前になっている。それが二十一世紀の社会である。

さて、このように社会が変化すると、活動の場が減ってしまう運動があった。「反差別」を旗頭にしていた社会運動がそうである。加えて、反差別運動は歴史的に左派イデオロギーとも親和性が高い。一九九〇年代に冷戦が終わると、社会主義を標榜していた左派イデオロギーも衰える。この二つの流れで、反差別運動は行き場を失う。

社会が改善され、差別が減っていくのは良いことである。反差別運動は解消に向かっても良かったはずだが、しかし「社会運動」というものはどうしても「当初の目的とは別に、みずから持続していくこと」を自然に望んでしまう。それが世のつねである。

弱者の「お気持ち」は理性や科学を上回る

そこで反差別運動は、どうしたのか。

彼らが取り組んだのは、ポストモダン思想を活用して、運動の生き残りを図ることだった。

ここでポストモダン思想を解説しておかなければならない。これは一九八〇年代に一世を風靡した思想である。わかりやすく言い切ってしまえば、近代のリベラリズムを否定するところからポストモダンは始まっている。近代のリベラリズムは、主観と客観をきっちりと分け、世界には数式や理論などで証明できる普遍的で客観的な事実があるのだという考え方を軸にしている。この考え方をもとにして、近代の自然科学も発達してきた。

しかしポストモダンは、このような「普遍的で客観的な事実」を否定する。唯一の客観的な事実などは存在しない、そうではなく人々がどう生きてきたのか、社会がどうつくられてきたのかによって現実は左右されるのだと考える。社会の成り立ちや言語や教育によって、自分がそう信じ込まされているだけだと考えるのである。

このポストモダン思想を、反差別運動は活用した。「差別はなくなっているように見えるが、実はまったくなくなっていない。さまざまな差別や権力関係は、社会の中に知らずしらずのうちに埋め込まれており、人々はそれに気づいていないのだ。だから人々を矯正しなければならない」

しかし、これはとても危険である。なぜなら「差別は社会の中に埋め込まれている」「それを矯正しなければならない」と言われても、その判断基準がいったいどこにあるのかがわからないからである。リベラリズムでは、理性や科学という根拠が示されている。しかし、ポストモダンは理性や科学を普遍的ではないと否定してしまう。

では彼らの根拠とはなんだろうか？

驚くべきことにその根拠は、差別される弱者の側の「お気持ち」なのである。弱者の「お気持ち」だけが大切であり、理性や科学よりも上回るというのである。なぜそうなるのかというと、抑圧している強者の側は、自分たちに都合のよい科学や理性に安住してしまっているから、そこに潜んでいる権力構造に気づかない。気づくことができるのは、抑圧された弱者だけであるというロジックである。

しかし、そもそも弱者の「お気持ち」などというものだけを根拠にするのがどだい無理な話なのだ。たとえば、弱者の「お気持ち」はいつどう変わるかもしれない。「お気持ち」が変化しても外部の人間にはわからないから、それまでは適正だと考えられていたことを口にしただけで、新たな「お気持ち」にもとづいて糾弾される危険も出てきてしまう。「お気持ち」が社会からの同情を買うために、差別をでっち上げることも可能である。

こんなことをしていたら、だれかを容易に排除することができるようになってしまう。先に、穢れて不浄で猥雑なものを社会から切り離そうとする動きが二十世紀末から起きているということを書いた。この穢れて不浄で猥雑なものを社会から切り離そうとする機運が、「弱者のお気持ちに寄り添い、理性や科学に依拠しない」という社会正義と見事に合体して、二十一世紀の「排除」を誕生させたのだ。

これは「朝田理論」の再来である。朝田理論というのは、被差別部落への差別を解消する運動をしていた朝田善之助という人物が一九五六年に提唱した理論である。「不利益と不快を感じさせられたものはすべて差別」「差別かどうかは、差別された者しかわからない」というものである。この理論は一九六〇年代以降、部落解放運動の基本的な考え方になった。しかし現在は朝田理論は批判され、否定されている。

なぜか。「何を差別とするか」という基準を示す必要さえなかったから、「差別された」と過度に主張して企業などを攻撃し、それによって不当な利益を得るような個人や団体が続出してしまったからである。

キャンセルカルチャーという排斥文化の拡大

ポストモダン思想をもとに「弱者のお気持ち」だけでだれかを排除しようとする運動は、

朝田理論と同じ危険を抱えている。そしてすでに現実に、悪名高い「キャンセルカルチャー」という文化を横行させてしまっている。キャンセルカルチャーというのは、だれかの言動を批判するだけでなく、その言動を理由に社会的地位や職などを剝奪してしまおうとする排斥運動である。批判は自由に行われるべきだが、地位や職を奪うのはやり過ぎである。

しかしそういう行為が、日本でも米国でも近年頻発するようになってきている。

イギリスのエコノミスト誌が「リベラル左派の脅威」という特集を組んでいる（二〇二一年九月四日号）。この特集で、まさにこの問題が論じられている。エコノミスト誌は、旧来の伝統的なリベラルと、現在リベラルと名乗っている左派を区別している。伝統的なリベラルは、多様な価値観を重んじ、さまざまな価値観の人たちが議論することでゴールを目指す。それに対して左派は、反対者を排除することによってゴールに向かおうとする。エコノミスト誌はこう書いている。

〈彼らは、敵対する者や逆らう者を排除することによって、イデオロギーの純粋性を強制する戦術も持ち込んでいる。これは一八世紀末に古典的なリベラリズムが定着する以前にヨーロッパを支配した、宗派国家と同じメロディを奏でている。〉

カトリックが支配していた中世と同じようなものだ、と強く非難しているのである。もう一つ引用しよう。

〈左派は、抑圧された人々を解放するための青写真を持っていると考えている。しかし、その実態は、個人を抑圧するための計画であり、その点では、ポピュリスト右派の計画と大差はない。左右の両極端な人々は、それぞれ異なる方法で、プロセスよりも権力を、手段よりも目的を、個人の自由よりも集団の利益を優先させている。〉

痛烈である。さらに「新しい世代の進歩主義者たちが、忠誠の誓いや冒瀆の法律の現代版など、宗派国家の手法に酷似した方法を復活させようとしている」とまで書いている。そのような「復活の儀式」を次のように紹介しているのだ。

「正統派を押し付ける」
「宗教のような布教活動を行う」
「異端者を追放する」
「焚書《ふんしょ》する」

まさに「中世の暗黒」である。

弱者と強者の境界を固定的に捉える危うさ

わたしたちは、これにどう対抗すればいいのだろうか。ポイントは三つある。

まず第一に、強者と弱者を固定的なものとして捉えないこと。

本書で何度も書いてきたことだが、強者と弱者は、つねに入れ替わる。昭和時代の「抑圧的で偉そうな中年男性」は強者だったが、令和時代の男性は非正規雇用で結婚もできず、弱者に転落している人がたくさんいる。いっぽうで女性はいまだ日本社会のいろいろな場面で抑圧されており、これらは是正していくことがとても大切だが、いっぽうで声高に他者を糾弾してだれかの職を奪ったり、社会から排除する運動をしている女性の研究者も目立つ。この中には大学教授のような権威的な立場の人も多いのだが、彼女たちは女性というだけで「弱者」と言えるのだろうか?

強者か弱者かの「境界」を、固定的に捉えてはならない。時代や社会の変化によってつねに変化していくからだ。弱者だと自認していた人が、逆にだれかを糾弾することができる強い立場になっていることはよく目にする。逆に強者だったはずの人が弱者に転落しているということも、頻繁に起きている。「つねに強弱は入れ替わるのだ」という認識を持っておくことが必要である。

第二に、「自分は弱者の味方だ」と自認し、自分を正義の味方にしてしまわないこと。

自他ともに「人権派」と認められていた著名な写真家が、性暴力事件を起こしていたことが報じられたことがあった。この件だけでなく、映画や劇作家など、作品では人道を打ち出している人が、ハラスメントを働いていたという話も頻発している。

なぜ人権派がハラスメントを行ってしまうのだろうか。

それは「自分は弱者の味方であり、人権派・人道派である」と自認してしまうと、自分が強者に立つことがあるという想像力がなくなってしまうからである。そういう落とし穴にはまってしまうと「自分はいつまでもどこまでも人権派であり弱者の味方だから、他者が自分の要求に応じてくれるのは、決して強者に抑圧されたからではない、自分で納得しているからだ」と思い込んでしまうのだ。

権力とは、総理大臣や大統領のような国家権力だけを指すのではない。経団連や大企業だけを指すのでもない。政治リーダーや大企業の経営者は強い権力者であるが、それだけではないのだ。人間が小さな集団をつくれば、その中では必ずだれかが権力を振るうようになる。

人間が本能的につくる共同体の人数は百〜百五十人とされており、研究者の名前をとってダンバー数と呼ばれている。動物園のサル山のようなものであり、このぐらいの人数の共同体がつくられると、必ずサル山のボスが生まれてくる。このボスが振るう権力の強さを忘れてはならない。

自分は政治権力と戦う弱者の味方でいたつもりが、気がつけば小さな権力者になっており、周囲を抑圧している……こういう構図は、本当にいたるところで目にする。小さな権力者は、もはやリベラリズムではない。自分が権力者になっていないかどうかを、つねに自問自答していくことがとても大切なのである。

第三に、議論の多様性を死守すること。

左派が言論の自由を侵害し、排除に走っているからといって、彼らと対立し、反対運動を起こし、シュプレヒコールを上げるというようなことは効果的ではない。それどころか「ミイラ取りがミイラになる」危険もはらんでいる。なぜならそういう反対運動は、排除の論理につながりやすいからだ。

必要なのは対立を煽ることではなく、同意してくれる良識的な人たちを増やすことである。

『「社会正義」はいつも正しい』も、こう書いている。

〈反リベラリズムに反リベラリズムで対抗することはできないし、言論の自由への脅威に対抗するために検閲主義者の言論を禁止してもいけない。憎む相手になってしまってはいけない。そうなったら、私たちの嫌うものを嫌う人々の支持を得られなくなる〉

左派は、自分たちの意に沿わない意見に対しては徹底的に排除するというキャンセルカルチャーを行ってきた。日本のツイッターでも、こうした排除の論理をかざしている人はたくさんいる。

しかし、キャンセルカルチャーには大きな落とし穴がある。それは、キャンセルカルチャーに最も影響を受けるのは過激な右派や陰謀論者ではなく、まっとうで穏当な議論をしようと考えていた中道の人たちであるということだ。穏健な人たちは、激しい議論に巻き込まれ、自分の職を追われるようなことは望まない。

本来のリベラリズムは相手の発言の権利を擁護する

いっぽうで、過激な人や陰謀論の人は「自分には失うものなど何もない」という強烈な覚悟を決めている人が少なくない。そういう人たちばかりがキャンセルカルチャーなど気にせず、声を大にして社会や政治についてさまざまな極端な意見を言うようになる。そしてこれらの過激な人に、社会正義派がさらにかみつき、大乱戦になっていく……という不毛な状態をつくってしまう。

極端な右派の人々が左派に対して罵声を浴びせれば、左派は「ほら見たことか！　わたしたちの訴えてきたように、こんな酷いヘイトばかりが横行する社会になってしまってい
る！」と自己肯定ができてしまう。ますます左派は声高になっていく。実際には「酷いヘイト」を言っているのはごく一部の極端な人たちだけなのだが、社会全体がまるでそうであるかのように見えてしまうのだ。

これはなんとも不毛な事態である。だからそのような事態が進行していってしまう前に、良識的で穏健な人たちはもっときちんと意見を言っていく必要がある。

しかし意見を言えば、罵倒され、最悪の場合はキャンセルされる不安がある。だから言論の自由を確保するには、声を上げてもキャンセルされないような文化をつくることが必要である。極端な左派の意に沿わない意見を言っただけで自分が社会から追放される心配があるのなら、穏健派はだれも声を上げることなどできない。

言論には、多様性が必要である。言論が一色に染められるのは、非常に良くない事態である。

ある番組で、選択式夫婦別姓について議論したことがあった。

わたしは、選択式夫婦別姓に賛成である。しかし夫婦同姓を選びたい人がいるということも、同時に尊重すべきだと考えている。選択式夫婦別姓制度が実現したときに、それでも夫婦同姓を選ぶ人たちが別姓の人たちに「あの夫婦は同姓を選択してるの？　信じられない」などと非難されるのは良くない。それは「夫婦は別の姓を選択する自由もあれば、同じ姓を選択する自由もある」という多様性ではなく、「夫婦は別姓でなければならない」という「ひとつの価値観のみの強制」だからである。

ところが、その番組に出ていた左派寄りの論者がこう発言して、わたしは非常に驚いた。

「日本社会は多様性に逃げて、選択式夫婦別姓制度の実現を阻害していないか」

これがまさに「ひとつの価値観のみの強制」である。そもそも「多様性に逃げる」という発言が、これまで左派が訴えてきた「多様な社会」を根底から否定してしまっているという自己矛盾に気づいていないことに驚かされる。

選択的夫婦別姓をめぐっては、こんなできごともあった。二〇二〇年に公開された映画『ドラえもん2』。この映画の宣伝ポスターには、ウェディングドレスを着たしずかちゃんが描かれ、のび太に書いた手紙の文面が添えられていた。その手紙の署名が、のび太の姓に合わせて「野比しずか」になっていた。つまり、のび太としずかちゃんは夫婦同姓を選んだということが示唆されている。

これに対して、ツイッターでは以下のような反応が多く見られた。


「グロ……子供に古い価値観植え付けんとって……」

「女性はケア要員じゃないんだよ。しずかちゃん逃げて……」

「きっちり女側が変えてるんじゃん。これが社会の圧力じゃなきゃ何？」


選択的夫婦別姓は、別姓を選ぶのも同姓を選ぶのも自由なはずなのに、同姓を選ぶことが攻撃されてしまったのだ。これも夫婦別姓という価値観の押し付けである。


左派の主張は単純明快でわかりやすい。

しかし、本来のリベラリズムはすぐに答を出すことはしない。たとえば、イスラム過激派から「宗教と政治を分離するようなリベラリズムの考えには反対だ」と言われても、リベラルはイスラム教を否定できない。なぜならイスラム教の主張を否定してしまうと、みずから多様性を棄て去ることになってしまうからだ。

では、イスラム過激派にどう向き合えばいいのか？　という難題がすぐに立ち現れてくるが、これに対してリベラリズムは明快な答えを出すことができない。それでも多様性をなんとか守っていこう、というのがひ弱なリベラリズムの矜持なのである。

仮に相手が絶対に間違っているとわかっても、リベラリズムは相手の発言の権利を擁護しなければならない。哲学者ヴォルテールが言ったのではないかとも言われている有名なことばが、まさにリベラルの姿勢を示している。

〈私はあなたの意見には反対だ、だがあなたがそれを主張する権利は命をかけて守る〉

リベラリズムは、自分の信念も間違っているかもしれないと、つねに疑ってかからなければならない。選挙の投票で負ければ、敵の勝利も受け入れなければならない。

このリベラルの姿勢は、人間の本能にそもそも反するという指摘もある。人間には狩猟採集時代の共同体概念が本能に埋め込まれており、共同体に反する者や外部の者は必ず敵対するという敵・味方の心理からは逃れられないからだ。しかしリベラリズムは、決してこの敵・味方の考え方をとらない。

先のエコノミスト誌の特集は、端的にこう書いている。

〈要するに、本物のリベラルであることは大変なことなのだ。〉

脆弱であり困難であるのが、リベラリズムである。しかし現代社会においては、いまのところはリベラリズムを守っていく他に「より良い道」はない。排除の論理に立ち向かうのは、リベラリズムに立ち戻るしかないのだ。

第五章 環境と生活の神話

- 脱ダムは水害が少なかった時代の幻想だった
- 「江戸時代に戻れ」というが当時は森林が破壊され、稲作も限界だった
- なぜオーガニック信仰の人たちは容易に陰謀論を信じてしまうのか
- 土地神話が終わり、土地を押し付け合う「ババ抜き」時代がやってきた
- 「理想的な夫婦」「素晴らしい結婚」は現代における抑圧である

脱ダムは水害が少なかった時代の幻想だった

田中角栄とダム建設など公共事業急増の背景

ダムには治水と利水の二つの目的がある。治水は「水を治《おさ》める」と書く通り、大雨のときに流れる水量を調整して、洪水を防ぐことである。利水は「水を利用する」、ダムに貯めた水を飲み水の上水道や工業用水に使うことである。

日本のダムの歴史は、治水と利水の両輪で進んできた。日本の巨大なダムの大半は、高度成長の頃に整備されたものである。一九五〇年代には伊勢湾台風など大きな水害が相次ぎ、ダムの建設が進められた。利水としては、一九七〇年代初頭に田中角栄が首相就任直前に『**日本列島改造論**』というベストセラーを刊行し、ダムや道路、橋などのインフラへの大規模な公共投資を呼びかけたのが有名だ。同書にはこう書かれている。

〈わが国の河川は急流が多く、貴重な水をそのまま海へ注ぎ込んでしまう。私たちが自然のもたらす水を十分に利用するためには、まず水をためることが必要である。〉

当時二百か所ほどだったダムを、一九八五年までに千か所に増やそう、と田中角栄はぶち上げた。これ自体は否定されるべき話ではない。

高度経済成長は日本の工業化を推し進めたが、その中心になったのは「太平洋ベルト」と呼ばれた茨城から大分までを結ぶ太平洋側の工業地帯だった。これに対して日本海側の人たちは「太平洋側だけが工業化が進み、豊かになっている。わたしたちは取り残されている」という忸怩《じくじ》とした思いを抱いていたのだ。これを新潟出身の田中角栄がすくい上げ、日本海側の工業化を訴えた。演説ではこんなことまで言ったと伝えられている。

「三国峠を切り崩す。そうすれば季節風は太平洋側に抜けて、越後に雪は降らなくなる」

三国峠というのは日本列島の分水嶺、群馬と新潟の県境にある峠である。大陸から吹いてきた季節風は、分水嶺の山にぶつかって日本海側に大雪を降らせる。雪を落とした季節風は分水嶺を乗り越えて、群馬側へと吹き下ろす。群馬名物の冬の「からっ風」である。分水嶺の山々がなければ、たしかに季節風は雪を落とすことなく太平洋側に流れ込むだろう。

そんなことを本気で考えていたわけではないだろうが、日本海側と太平洋側の経済格差をなくそうというのが田中角栄の政治家としての悲願だったのだ。田中は首相に就任すると積極的にダムや道路、橋など地方の公共事業を増やし、この方向が一九七〇年代以降の日本の政策の中心になっていった。これは都市と地方の経済格差をなくす一定の役割を果たしたが、いっぽうで公共事業への巨大利権を生み出すという副作用もあった。

公共事業利権は、このようなしくみである。各省庁の分野ごとに「族議員」と呼ばれる政治家がおり、それと官僚、自治体、土建業者らがガッチリと組んでパイプのようなものをつくる。これが全国に張り巡らされ、パイプに沿って公共事業の予算が流し込まれるのである。このパイプに沿って「口利き」や「集票」といった行為が横行し、政治の腐敗を招いた。

公共事業費大幅カットとインフラ脆弱化のトレードオフ

この利権への反発もあって、一九八〇年代には流れが変わってくる。マスコミはこの時期から公共事業利権を強く批判するようになる。

産業構造も変化し、工業化が完了して第三次産業へと中心が移っていく。そして、巨大インフラよりも生活分野への公共投資も求められるようになる。

もう一つ大きな要因として、一九七〇年代から二〇〇〇年代にかけては大きな水害があまり起きていなかったということがある。たとえば群馬・八ッ場《やんば》ダムの反対運動「八ッ場あしたの会」は二〇一五年にこう書いている。

〈※編集部注（1949年のキティ台風の）その後は河川改修が進んだため、1950年から昨年までの64年間、利根川本川からの越水による被害はゼロです。〉

長野県では、長野県庁が二〇一〇年に出した『論点再確認 報告書』には、千曲川のダム建設への異論が紹介されている。

〈昭和14年の論田ヶ池決壊による土石流以降、70年余にわたり水害はない。かかる事実から、当該区間における水害の懸念がない。よって、ダムは不要である。〉

こうした流れの結果として、二〇〇〇年頃から「脱ダム」の機運が盛り上がったのである。

最初に手を着けたのは、二〇〇一年からの小泉純一郎政権で、公共事業費は一気に一〇パーセント削減された。民主党政権がこの方向をさらに推し進めて、ダムや堤防などの治水事業は二〇〇〇年頃には約一兆五〇〇〇億円あったのが、二〇一〇年にはわずか六六〇〇億円程度にまで減ってしまう。十年で約九〇〇〇億円もカットされたのである。現在は少し戻して八〇〇〇億円前後で推移しているが、それでも大幅カットされたままなことに変わりはない。

ところが二〇一〇年代ぐらいになると、水害はふたたび多発するようになった。二〇一九年の台風一九号は四十年ぶりに死者百人を超す被害を出し、長野県が〈70年余にわたり水害はない〉と書いた千曲川は決壊し、北陸本線の車両基地が水没した。利根川も決壊直前にまで水量が増え、首都への被害が非常に心配されたが、渡良瀬遊水地とともに完成直後だった八ッ場ダムが大量に水を貯め込んで水害を食い止めた。反対運動が〈64年間、利根川本川からの越水による被害はゼロ〉と建設差し止めを訴えていた八ツ場ダムが、首都を救ったのである。

水害が増えた原因ははっきりしない。地球温暖化の影響を指摘する人もいれば、単に二十世紀後半が奇跡的に水害が少なかっただけという説もある。しかし原因は不明でも、水害が年々深刻になっているのは間違いない。堤防やダムなどのインフラを強靭にして、水害を食い止めなければならない。

公共事業費が大幅カットされたこの二十年で、インフラの維持や補修ができる技術的人材が減ってしまっているという指摘もある。利権が拡大するのは問題だが、公共工事をカットしすぎると技術やノウハウの継承が難しくなってしまうというトレードオフも起きてしまうのだ。

「水害が増えている現実」
「インフラの維持補修のノウハウの継承」
「公共事業への利権誘導を防ぐ」

この三つのバランスをうまくとりながら、インフラ政策を進めていく必要がある。このようなバランスの発想なしに、ただ「ダムを無くせ」といまだインフラ軽視の発言をしている著名人もいるが、ほとんど何も考えていないのに等しい。二十世紀に流行ったステレオタイプを、そのままただ垂れ流しているだけなのである。

「江戸時代に戻れ」と言うが、当時は森林が破壊され、稲作も限界だった

「江戸時代は支え合いとエコの世界」という嘘

環境問題に「意識が高い」人が「日本の環境は年々ひどくなっている」「エコだった江戸時代に戻れ」という誤ったステレオタイプを口に出すケースをよく目にする。著名人で言えば、たとえば思想家の内田樹氏はツイッターにこう投稿している。

〈江戸時代は偉かった。森林を守ったこと、武器の進化を止めたこと、自然の力を制御する媒体として機械ではなく身体を選んだこと、鎖国したこと、列島を300の藩に割ったこと。今の日本が世界に誇れる資源は江戸時代からの贈り物です。Back to Edo era!〉（二〇一四年六月二十三日）

政治家では立憲民主党の枝野幸男氏が著書『枝野ビジョン　支え合う日本』（文春新書、二〇二一年）で、江戸時代を「助け合い」の時代だったと賞賛している。

〈水田稲作では、強いリーダーシップや自由競争よりも、合意形成や支え合い、助け合いが重視される。〉

〈日本では、水田稲作を効果的に進めるために、自由競争よりも地域による共同作業、つまり「支え合い」と「助け合い」を重視し、いわゆる村落共同体を構成して、河川という水資源を共有財産として管理してきた。〉

江戸時代は、本当にそれほどまでに素晴らしくエコだったのだろうか？

実はそうではなかったと指摘する本が、近年いくつも刊行されている。東大名誉教授で森林環境学の専門家、太田猛彦氏の『**森林飽和　国土の変貌を考える**』（ＮＨＫブックス、二〇一二年）。

この本に説明されていることで「あ、たしかに」と気づきを感じたのは、江戸時代の浮世絵などで背景の山々がどう描かれていたかということだ。言われてみればそうなのだが、ほとんどがはげ山で、樹木は少ない。いまの日本の山が緑に覆われているのとは大違いである。

なぜ、はげ山ばかりだったのか。江戸時代には石油や石炭などの化石燃料がなく、燃料をはじめとしてさまざまな資源の大半を森林に頼っていたからである。昔話に出てくる

「おじいさんは山へ柴刈りに」は、山に燃料を採りにいっていたのである。樹木が少なくはげ山ばかりだったので、毎年のように土砂災害や洪水が多発していた。

『森林飽和』から引用しよう。

〈(はげた)《※編集部注》里山では、毎年起こりうる程度の大雨でも容易に表面侵食が発生する。しかしそればかりでなく、山崩れや土石流も頻発していた。水田には洪水が氾濫し、海岸では海から飛砂が襲ってきた。日照りが続くと川はすぐ干上がって水不足になった。人々は毎年そのような災害と闘いながら暮らしていたのである。そして、その最大の原因は森林の劣化だった。〉

江戸時代のはげ山の風景は、明治大正から昭和の前半まで続いていたとされている。昭和三〇年代ぐらいになってようやくガスや灯油が普及し、治山事業も行われるようになって緑が回復してきた。

わたしは里山を歩きにいくことが多いのでいつも感じるのだが、現代日本の森林は猛烈に濃密である。そこらじゅうに枯れ木や枯れ枝がたまり、森はツル科の植物にも侵食されてジャングルのようになっている。このありさまを江戸時代の人が見たら、狂喜乱舞して柴を拾いまくることであろう。現代日本は、過去に類を見ないほどに森林が増殖している時代なのである。

くわえて高齢化と人口減で、山あいの集落もだんだんと姿を消してきている。オオカミは明治期に絶滅させられたが、人間の猟師も少なくなって、シカやイノシシ、クマなどの野生動物も猛烈に増えている。自然の領域が広がり、人間が住める土地は以前よりも狭くなっている。これを「人間が環境破壊をしているから、動物たちの居場所がなくなったのだ」「自然環境はどんどん悪くなっている」などと、二十世紀そのままのステレオタイプで非難する人たちがいまも多いが、まったくの誤りである。日本の自然環境は、少なくとも明治の近代化以降では最も良好になっており、動物たちは居場所をなくしたのではなく居場所をぐいぐい広げているのだ。

江戸時代と比べると、信じられないありさまなのである。

文明と経済成長なくして森林は増えない

里山だけではない。江戸時代には、そもそも水田をつくりすぎて限界にまで達してしまっていた。くわえて里山が荒廃し、田んぼや畑にまく肥料も不足するという重大な問題を引き起こしていた。

琉球大学教授で日本近世史専攻の武井弘一氏の『**江戸日本の転換点　水田の激増は何を**

もたらしたか』（ＮＨＫブックス、二〇一五年）には、こう書かれている。

〈自給できる肥料では足りなかったので、水田の持続可能性は危ういものであった。金肥を施せば農業生産を維持できたが、金肥をつくるために国内の山や海の資源まで投じられていた。それどころか、江戸中期からは水害や土砂流出の危険にさらされ、水田リスク社会という新たな難問に巻き込まれていたのである。〉

そして、こう言い切っている。

〈水田にささえられた江戸時代の社会は、その根底において持続可能ではなかったのである。〉

江戸時代と言えばすぐに「持続可能な社会」「循環型でエコな社会」とステレオタイプな形容詞がかぶせられるが、実態はそんなものではなかったのだ。「昔は良かった」「いまは環境が破壊されている」などというのは、単なる感傷的なノスタルジーでしかない。

これは日本の江戸時代だけでなく、実は世界全体についても当てはまる。

たとえば森林破壊について、さかんに「熱帯雨林がなくなっていく」と言われる。たしかに南アメリカや東南アジアの熱帯雨林が破壊されているのは事実だが、もう少し細かい数字を見てみよう。

世界の森林面積は約四十億ヘクタールで、陸地面積の三一パーセントを占めている。二〇〇〇年代の十年間で減少した森林面積は、年間一千三百万ヘクタール。年間〇・三二パーセント減っている計算になる。しかし一九九〇年代は、年間一千六百万ヘクタールずつ減少していた。減少率は年間〇・四パーセントだった。つまり、減少率はおだやかになってきている。

しかもヨーロッパやアメリカ、中国などでは、二〇〇〇年以降は実は森林が増加している。中国は二十世紀に急速に森林が減っていたことに共産党政府が危機感をいだき、大規模な植林などで緑化政策を積極的に進めたのだ。

南アメリカや東南アジアは、たしかに熱帯森林が減り続けている。しかし工業化や都市化が進んで国が豊かになれば、中国がそうだったように森林減少は食い止められる可能性も高い。

逆に、森林の減少は他の地域と同じように食い止められていく可能性が高い。デンマークの政治学者ビョルン・ロンボルグは著書『**環境危機をあおってはいけない　地球環境のホントの実態**』（文藝春秋、二〇〇三年）で、熱帯雨林の減少の理由を三つ挙げている。

①熱帯雨林の所有権がはっきりしないところが多いので、勝手に伐採されてしまう。
②熱帯雨林の木材は価値が高く、アジアや南アメリカの国のお手軽な資金源になっている。
③地元の住民が薪を収集し、エネルギー源にしている。

しかしこの三つはいずれも根本的な理由ではない、とロンボルグは書いている。根本的ではなく、うまく管理されていないことによる問題だというのである。たとえば全世界の木材が成長して、森林資源が増えていけば、木材が成長する分、全体のわずか五パーセントだけで全世界の木材需要がまかなえてしまうのだという。

野放図に放置されていれば、森林は減っていく。しかし文明が進み、適切なコントロールが行われ、薪《まき》ではなくガスや石油、電気など他の安定的なエネルギー源が使えるようになれば、森林は回復できるのだ。「文明が進むと森林が減る」のではなく、逆に文明が進み経済が成長することによってこそ、緑は増えていくと考えたほうがいいのである。

なぜオーガニック信仰の人たちは容易に陰謀論を信じてしまうのか

アジアを救った農業テクノロジーを否定する有機信仰

『21世紀の資本』（みすず書房、二〇一四年）という世界的ベストセラーを書いたフランスの経済学者トマ・ピケティは、左派政党を支持する高学歴層に「バラモン左翼」という恐ろしい名前をつけている。バラモンというのはインドのカーストの最高位の名前である。

かつては左派は労働者の味方だった。しかし、最近の左派は高学歴化して環境問題やLGBT問題などにばかり関心を持つようになり、労働者に目を向けなくなったことを揶揄している。

日本にもバラモン左翼に近いネットスラングがある。「世田谷自然左翼」だ。世田谷区は東京きっての豊かな住宅街で、住んでいるのはアッパーミドルから上の階層が多い。豊かな生活をしている彼らが、環境問題に関心を持ったり左派政党を支持する「意識高い」人たちであるのを揶揄しているのである。

ではなぜ「世田谷左翼」ではなく「世田谷自然左翼」なのか。それは世田谷の意識高い人たちが、やたらとオーガニック野菜が好きだからだ。

しかしこのオーガニック信仰は、前世紀の神話である。神話であるだけでなく、陰謀論やエリート主義に容易に結びつきやすいという厄介な問題も抱えている。

そもそもオーガニック野菜とは何か。かんたんに言えば無農薬・有機野菜の総称で、有機とは農薬も化学肥料も使わないで育てた野菜のことである。農薬や化学肥料を使わない野菜は「有機だから安全」「有機だから美味しい」「有機だから環境にいい」と思われている。しかしこの思い込みこそが、すでに前世紀の神話でしかない。

「農薬は危険である」という思い込みは神話であるだけでなく、陰謀論へと発展している。オーガニック信仰が悪の大王のように目の敵にしている存在として、第二章でも触れたモンサントという企業がある。現在はドイツのバイエルに買収され社名は消滅しているのだが、ネットで検索するといまだにモンサントの名前が大量に出てくる。こんなことが言われている。

「ベトナム戦争で使われた枯葉剤を製造した」

「発がん性のある除草剤ラウンドアップを販売している」

モンサントが枯葉剤をつくっていたのは事実だが、後者の「発がん性がある」は正確ではない。

モンサントの除草剤ラウンドアップを、販売を禁止している国もあるのは事実である。二〇一五年には国際がん研究機関（ＩＡＲＣ）が、ラウンドアップの主成分のグリホサートについて「発がん性の懸念がある」と発表したこともあった。

いっぽうで世界保健機構（ＷＨＯ）と国連食糧農業機関（ＦＡＯ）は、合同残留農薬専門家会議というところで「食事を介して発がんするリスクは低い」とも結論づけている。日本やアメリカ、ＥＵ、カナダ、オーストラリアの各国政府もこれと同じ見解を出している。つまり「絶対に安全だ」と言いきることはたしかにできないけれども、逆に「発がん性がある」と断定してしまうのも間違っていると言える。

くわえて、ラウンドアップのような除草剤や化学肥料が世界に果たした大きな貢献も忘れてはならない。

一九五〇〜六〇年代に、人口爆発や飢饉などが原因でアジアやアフリカでは食糧危機がたいへんな問題になっていた。アジアでこの危機を乗り切ったのが、「緑の革命」と呼ばれた農業テクノロジーである。つまり農薬や化学肥料、品種改良などを駆使することで、穀物の生産量を一気に増やすことに成功したのだ。もし農薬や化学肥料がなかったら、アジアの飢餓地帯の人たちは多くが餓死に追い込まれていた可能性がある。農薬が人々を飢餓から救ったのである。

とはいえ、農薬や化学肥料にはネガティブな面もある。あまりにも使いすぎることで土地が痩せてしまったり、川などの水が汚染されてしまったりというケースもあった。大量の作物を供給するために特定の品種ばかりが栽培され、農産物の多様性を乏しくするという副作用もあった。

ものごとには、つねにポジティブな面とネガティブな面がある。その両面をつぶさに検討したうえで、どう折り合い、調整し、バランスを取っていくのかということが求められている。勝手につくり出した「悪魔」を非難しているだけでは、ものごとは決して解決しない。

過去の経緯も知らず、バランスを取ることもせず、ただ「モンサントが――」「農薬が――」と「わかりやすい悪」の非難ばかりする。だから「世田谷自然左翼」「バラモン左翼」などと揶揄されてしまうのである。

人工的＝危険、自然＝良いという思い込み

「オーガニックだから美味しい」というのも、神話である。

『キレイゴトぬきの農業論』（新潮新書、二〇一三年）などのベストセラーでも知られる久松達央氏は、茨城県の農業法人「久松農園」の経営者である。久松氏は、野菜の美味しさはオーガニックかどうかとは関係ないと断言している。農薬や化学肥料を使うか使わな

いかではなく、野菜のうまさは「栽培時期」「品種」「鮮度」の三つの要素でほぼ決まるのだという。

つまり、いちばん美味しくなる旬の時期に、美味しい品種の野菜を選び、それを鮮度の良いうちに料理して食べる。これが最も野菜の美味しい食べ方なのだ。鮮度の悪い有機野菜を旬でもない時期に食べるよりは、農薬を使っていても、新鮮な野菜を旬の時期に食べるほうが間違いなく美味しいということである。

「昔は野菜がうまかったが、いまの野菜はまずくなった」と文句を言っている高齢者を見かけることもあるが、これも神話である。旬の時期に食べれば、野菜はいまもちゃんと美味しい。ではなぜまずいと感じるようになったかと言えば、昔は旬の時期しか出まわらなかった野菜が、ハウス栽培の普及で年中販売されるようになってしまったからなのである。冬にキュウリやトマト、ナスなどの夏野菜を食べたら、それらはハウス栽培なので、旬の露地ものに比べれば味が落ちるのは当然のことだ。

もしオーガニックとうまさが関係しているとすれば、それはオーガニック栽培に取り組んでいるような農家は研究熱心で、「美味しい野菜をつくりたい」と心がけ、消費者の安心・安全を求める願いに応えようとしている人たちが多いということだ。結果として、オーガニックという冠をつけて売られている野菜は、美味しいことが多いということである。結論は同じだが、因果関係が異なっている。「オーガニックはうまい」ではなく「オーガニックに取り組む姿勢を持つ農家の野菜はうまい」なのである。

オーガニック信仰と並んでよく言われるのは、「食品添加物は危険」「大手メーカーのパンは添加物まみれなのでカビがはえない」というものもある。これらはほとんど陰謀論に近い。

添加物については日本では厳密な規制がかけられており、危険なものはほぼ排除されている。大量生産されている大手メーカーのパンにカビがはえないのは、添加物のためではなく、非常に清潔な工場で無菌状態に近いかたちで製造されているからだ。自宅で焼いたパンは、キッチンが無菌状態ではないからすぐにカビがはえてしまう。それだけの違いである。

こうした陰謀論的な話には、「人工的なものは危険。自然なものが良い」という思い込みがある。しかし、これは間違いだ。「合成保存料は危険」という話もよく見かけるが、保存料がなければ、どうしても日持ちが悪くなる。昔の伝統的な食品が合成保存料を使っていなかったのは事実だが、保存料のかわりに大量の塩を使っていた。だから昔の梅干しや漬け物は塩辛かったのである。もし保存料を徹底的に避けて伝統食品に回帰すると、塩分とりすぎで高血圧や胃がんのリスクが高まってしまうだろう。

つまり人工的なものを避けて自然に回帰しようとすると、かえって健康を害することもあるのだ。

なぜこのような陰謀論まじりのおかしな話が、世田谷の豊かな人々や欧米の富裕層に広がってしまったのだろうか？

陰謀論は、実はエリート意識ととても仲が良い。エリート意識を持ちすぎると、たとえばこんなふうに考えてしまうのである。

「バカな大衆はまずく不健康で危険な野菜を食べている。しかし選ばれたわたしたちは、健康で安全な野菜を食べることができている」

そして鼻持ちならないエリート意識は、簡単にこんな陰謀論に発展してしまう。

「大衆は汚染された野菜を食べさせられてだまされている。わたしたちだけが、食の真実を知っている」

第二章でも述べたように、エリート意識と陰謀論は結びつきやすいのだ。

土地神話が終わり、土地を押しつけ合う「ババ抜き」時代がやってきた

空き家の管理状況によって固定資産税は6倍に

昭和時代には、たかが住宅を買うだけのことを「一国一城の主《あるじ》になる」などと呼んでいた。土地をいったん買っておけば、地価は永遠に上がり続けるから決して損をすることはないとも思われていた。古い時代の土地神話である。

しかし土地神話は、一部の都会を除けば完全に終わりつつある。特に人口流出が激しい地方の田園地帯では、土地はもはや資産ではない。それどころか完全に「負の資産」になっており、持っているだけで固定資産税や定期的なメンテナンスなどの負担が増えるばかりである。だから、自分が所有する土地をなんとかしてだれかに手渡してしまいたいと思う人が増えている。しかし、そういう土地をほしい人もほとんど見つからない。土地をめぐって盛大な「ババ抜き」が進行しているのである。

わたしが見聞きした事例を一つ挙げてみよう。北陸のとある漁村に構えている大きな屋敷は、背が高い立派な石垣が広い敷地をぐるりと取り囲んでいて、まさに城のようである。

中に入ると、豪華な欄間をそなえた立派な和室がいくつも並んでいる。縁側に面した庭には大きな石灯籠と広い日本庭園。茶室まである。しかし現在は空き家になっており、となり町に住む跡継ぎの所有者が月に一度ほど掃除のために訪れるだけだ。

七十歳代の所有者男性と話をすると、「広大な邸宅なので掃除するだけでもたいへんで、無償でもいいからだれかに引き取ってもらいたい」と言う。掃除をしないで放置しておくと、人が住まない空き家はあっという間に朽ち果てていく。手間がかからないのならそれでも構わないと思う人もいるだろうが、二〇一五年に施行された空き家対策特別措置法がそれを許さなくなっている。放置されて倒壊などの危険がある空き家は、市町村が強制的に取り壊しできるようになったのだ。取り壊し費用は、問答無用で所有者に請求される。普通の戸建てでも取り壊すのには百五十万〜二百五十万円かかるとされており、大きな負担である。さらに二〇二三年に同法が改正され、管理が行き届いていない空き家は「固定資産税の減免」が解除されることになった。固定資産税の減免というのは、土地に住宅が立っていれば固定資産税が六分の一に減らしてもらえるというものである。この減免がなくなってしまうので、空き家をきちんと管理しないでいると、固定資産税が一気に六倍に増えてしまうのである。

だから田舎では、なんとかして空き家を処分しようとする人たちが増えている。空き家の建物つきだと売れにくいので、更地にして土地だけを売ろうとする。そこで取り壊し費用だけでも浮かせようと、土地を百五十万〜二百五十万円で販売するケースが目立つ。この金額で売れれば、売却益で空き家を取り壊して、差し引きゼロになるからだ。

空き地が交通の便が良い場所にあるのなら、飲食店やホテルの立地に使えるかもしれない。しかし、人口が減って過疎化が進んでいるような土地では、それも望めない。だから全然売れない。そこで最後は「無償でいいから引き取って」とあちこちに頼んでまわることになる。市町村に直談判をしにいく人もいる。

しかし使い道もないまま、だれかがその空き家のある土地を無償で引き取ったとしても、そのだれかがまた減免されない固定資産税を毎年払い、建物のメンテナンスをしていかなければならない。使い道もないのに、そんなボランティアをしてくれる人はどこにもいない。

北陸のお屋敷はその後、旅行業界の東京の企業に無事引き取られたのだという。北陸新幹線が二〇二四年に福井・敦賀まで開通するのを見込んで、京都から金沢のあいだが新たな観光資源になると見込まれたのだ。幸せな結末となったが、こういうケースはたいへん稀である。

所有者の一存で処分ができない土地神話の幻

いっぽうで二〇一〇年代以降、若者の地方移住熱は高まっている。新型コロナ禍でリモートワークが普及し、地方との二拠点生活を選択する人も増えた。だったら、そういう人たちに空き家を貸せばいいのではないか、という可能性も出てくる。

ところが、これもあまりうまくいっていない。空き家を処分したい人たちがいる半面、空き家を売ったり貸したりできない人たちもたくさんいるのだ。

どういうことだろうか。

一つの原因としては、所有者がかつての「土地神話」の幻に引きずられているということがある。昭和の頃に数千万円ものお金をかけて手に入れた住宅を、町が寂れて建物が老朽化しているといっても、無料に近い金額で譲ったり貸したりするのには心理的な強い抵抗があるのだ。

わたしが見聞きした中では、こういう事例もある。

公務員だった七十代の男性が所有している住宅。古い建物だが、状態は悪くない。あるとき地元の人の紹介で、何人かの若い移住者が見学に来た。所有者は、だれかが住んでくれるのなら家賃無料でもかまわないと説明した。見学者のひとりが気に入って「借りたい」と申し出た。ところが、その申し出を聞いたとたんに所有者は態度が豹変。翌日になって「やっぱり、月に五万円ぐらいは家賃を払ってほしい」と言い出したのである。そんなに家賃は払えない、というのでこの話はご破算になった。

紹介者にあとから聞いてみると、彼はこうこぼしていた。

「たくさんの人が見学に来て『いい家ですね』と褒めてくれたので、急に欲が出て『そんなにいい家だったら無料で貸したくない』と言い始めたんだよね。欲をかいてせっかくの話をダメにしちゃう典型的パターンだ」

こういう欲をかいてしまうケースはけっこう多い。それ以外にも「先祖代々からの仏壇がある」「近所の人たちへの世間体が悪い」といった理由で貸さない、という話はよく耳にする。

さらには「そこにいない親戚が突然反対し始める」というパターンもある。古い住宅を引き取るという交渉が所有者とのあいだで無事妥結して、あとは契約書を交わして登記移転をするだけ……という段階になって、遠方の都会に住んでいる息子娘や甥姪などが話を聞きつけ、「大事な家を手放すなんて！」と怒り出すのである。地元に残って家を守って頑張ってきた所有者としては「長年やってきたけど、もう無理……」と思っているのに、親戚はそういう気持ちをまったく忖度しない。自分は都会に出ていって実家のことなど一顧だにしなかったくせに、突然「大事な家なのに」と言い出すのである。

これは、末期の患者の延命治療をもうやめようと家族で話し合っていたら、遠い親戚が突然やってきて「お父さんがかわいそう！」と言い出す……というあのシーンとまったく同じ構造である。

このように空き家は増え続け、田舎では売れる見通しもなく「負の遺産」になっており、いざ売れそうになっても新たなハードルが立ち現れる。がんじがらめの構図になっている。

高齢化して、郊外住宅がやがて空き家化していく

この状況は、都会から遠く離れた田舎だけの問題ではない。首都圏や近畿圏でも、交通の便が悪い住宅地では同じような事態に陥りつつある。

一九八〇年代のバブル期、都市の地価が高騰して普通のサラリーマンではとうてい家を買えるような値段ではなくなった。その頃に三十〜四十代だった人たちの多くが、都心からかなり離れた郊外に土地を購入した。そういう客層に向けて、不動産会社も郊外の安価な新興住宅地を宣伝し、販売したのである。

そういう新興住宅地は私鉄沿線の駅近だけでなく、駅からバスに十五分も乗った先などに、山を切りひらいて造成されていることも多い。そういう新興住宅地の所有者はいま六十〜七十代になってきているが、その子ども世代は交通の便の悪さに音《ね》を上げて、家を出

ていってしまっている。立地の良い都心のタワーマンションなどに住んでいるのだ。

郊外の新興住宅地は高齢化し、子どもの姿も見なくなった。所有者が老人ホームに入ったり、子どもと都心で同居するために引き払ったりするケースも多く、くしの歯が欠けるように空き家が増えている。人口が減ったことで、住宅地の中にあったスーパーマーケットは経営が成り立たなくなって撤退していく。買物が不便になれば、さらに出ていく人は増える。過疎化の始まりである。そういう負のスパイラルが、首都郊外の新興住宅地でも徐々に進んでいるのだ。

この負のスパイラルをうまく回避して有名なのが、一九八〇年代初頭に生まれた千葉県佐倉市のユーカリが丘だ。宅地を開発して一気に分譲してしまうのではなく、毎年の販売戸数を抑え、年月をかけて少しずつ分譲していった結果、さまざまな世代が入居した状態が維持されて過疎化を防いだ。いまも活気のある住宅街となっている。

都市の一部を除いて、完全に終わりつつある土地神話。そもそも土地が神話となったのは、いつからなのだろうか。

それは戦後まもない頃の住宅政策にまでさかのぼる。

東京など多くの都市は空襲で焼け野原になり、住宅はまったく足りていなかった。しかし敗戦で経済もボロボロになり、猛烈なインフレが進行し、家賃は高騰した。そこで政府は家賃を抑えるために、地代家賃統制令を出す。家賃や地代を値上げすることを禁止する法律である。

しかし、これは逆効果を招いた。物価が爆上がりしているのに、家賃だけが安く抑えられてしまったら、家主は家を貸すメリットがなくなってしまう。家賃が安すぎて家主はまったく儲からないどころか、へたをすると管理コストを引くと利益がマイナスになってしまうという事態に陥ってしまったのである。家はますます足らなくなった。

ここで政府は公営住宅をたくさんつくって供給すればよかったのだが、当時は戦後復興のために「傾斜生産方式」がとられていた時期である。基幹産業だった鉄鋼、石炭に予算の大半を注ぎ込んでなんとか産業を復興させ、そのかわりに他の政策にはほとんど財政投入をしないという、危機的な状況のさなかの超思いきった政策だった。

この煽りを受けたのが住宅政策で、公営住宅などまったくといっていいほどつくられなかった。とはいえ住むところがなければだれもが困るから、多くの人は自力で持ち家を持つことによって住むところを確保しようと考えたのである。

一国一城の主転じて負のスパイラルへ

戦前は、持ち家率はわずか二割ほどしかなかった。八割の人が借家に住んでいたのである。しかし戦後の政府の無策によって、持ち家率はぐんぐん上がった。一九五〇年代末には、持ち家率は七割に達したのである。

一九六〇年代になると集団就職や大学進学で、若者が都会に流入して賃貸アパートに住むようになる。これに影響されて持ち家率も少し揺り戻して六割ぐらいになり、現在に至るまでこの数字が続いている。ただし地域差も大きく、持ち家率が現在最も高いのは秋田県で七七パーセント。最も低いのは沖縄県の四四パーセントと東京都の四五パーセントである。

持ち家率が急上昇していった一九五〇〜六〇年代は、高度経済成長の時代でもあった。持ち家率が上がったのには、日本人が豊かになったという要因も大きかったのである。政府も持ち家をわざわざ否定することはなく、公営住宅を大量供給する方向には進まなかった。

給料も地価も右肩上がりに伸びていく昭和のこの時代に、終身雇用の会社に勤めた日本人は会社の信用組合で融資を受けて持ち家を買い、足りない部分は定年になる頃に退職金で完済し、地価も上がっていたので資産価値も上がり、と幸せなスパイラルがあったのである。

幸せスパイラルの昭和時代には、家を持つことが豊かさの象徴でもあった。だから「男なら一国一城の主になるべし」などと、戦国時代の城になぞらえたほどだったのである。

持ち家の幸せスパイラルは終わりを告げ、持ち家は負のスパイラルに落ち込んでいる。

これから先はさらに人口が減っていき、空き家は増え続ける。山あいや海沿いの限界集落では、住民の多くが戦前生まれの人たちで、いまでは八十〜九十代ぐらいになっている。戦後生まれの団塊の世代が集団就職や大学進学で都会へと出ていったのに対し、戦前世代の人たちが連綿と土地を守ってきたのだ。しかし、この世代の人たちもまもなく退場していく。限界集落はごく近い未来に消滅するのが約束されている。

いずれ、だれも住まず所有者さえもよくわからない空き家が、日本の津々浦々に残されていくことになるだろう。

それでも希望の見えている土地もある。

シャッターの下りた店ばかりになった古い商店街は全国で目にする。商店街の再生を目論んでも、「静かに暮らしたいから」「世間体が悪いから」と空き店舗を貸したがらない家主は多い。そういう店舗は二階が住居になっていることが多く、家主がいまもそこに住んでいるから貸したがらないのである。

しかし同じようなシャッター街でも、再生に成功し、新しいカフェやゲストハウスなどが増えている街もある。そういう街では、家主の世代交代が進んでいるケースが多い。家主が高齢になって引退し、息子や孫が店舗を継いだことで一気に若返りが進むのだ。

このような世代交代が進めば、空き家や空き店舗の再利用の可能性も見えてくる。しかし古い木造の建物は、使われなくなると配管や建材の腐食が早く進み、すぐに朽ち果てて住めなくなってしまう。

問題は、膨大な数の空き家が朽ち果ててしまうのが早いのか、世代交代と再利用のほうが早く進むのかということなのである。このタイミングが合わなければ、日本全国に廃墟化している住宅がどこまでも広がるという光景になってしまうだろう。残された時間は短い。

「理想的な夫婦」「素晴らしい結婚」は現代における抑圧である

加藤和彦・安井かずみの夫婦生活の理想像と現実

結婚には「夫婦は永遠の愛を誓うもの」「愛し合わなければならない」といった思い込みがたくさんある。しかしこれらも、もはや前世紀の神話である。

一つ例を挙げよう。加藤和彦と安井かずみという著名なカップルが「理想的な夫婦」と言われていた時代があった。一九七〇年代終わり頃のことだ。

ミュージシャンの加藤和彦は、一九四七年生まれの団塊の世代。ザ・フォーク・クルセダーズでデビューし、一九七〇年代にサディスティック・ミカ・バンドを結成した。『タイムマシンにおねがい』など、いま聴いてもまったく古くない名曲を送り出して、一九八〇年代にかけて最先端の音楽シーンをつくり上げた人だった。

八歳年上の安井かずみは、昭和後期を代表する作詞家のひとり。アグネス・チャン『草原の輝き』や沢田研二『危険なふたり』、竹内まりや『不思議なピーチパイ』、郷ひろみ

『よろしく哀愁』など、いまも歌い継がれている膨大な数の流行歌を手がけている。

ジェンダー平等の意識などかけらもなく、まだ抑圧の強かった昭和の時代に、気ままに生きた女性でもあった。二十代だった一九六〇年代には、ニューヨークやヨーロッパを遊んで回った。戦後に海外旅行が自由化されたのが一九六四年だったことを考えれば、飛び抜けて自由奔放な青春時代である。

安井かずみは「どこまでも自由で、あくまで奔放で、危なく、アンニュイな魅力にあふれた女」と言われていた。一九七七年、加藤和彦と結婚したときには「日本一カッコいいカップル」とマスコミに呼ばれた。

しかし「日本一カッコいいカップル」は、実際には幸せではなかった。ジャーナリストの島崎今日子氏が書いたノンフィクション『安井かずみがいた時代』(集英社、二〇一三年)は、生前を知る二十六人の証言をもとにして彼女の人生を再現した評伝。この本を読むと、加藤和彦との夫婦生活はなんとも痛ましい。

夫婦の生活は「劇場」的だったという。夕食はかならず着替えをして夫婦でテーブルを囲み、年に二度は長い休暇を海外ですごす。安井かずみは素朴なインテリアが好きでリビングには白木のテーブルを置くような趣味だったのだが、結婚後のライフスタイルはヨーロッパ調の派手なテーブル、身にまとうコートも高級ブランドのエルメスに変わった。

以前からの親友たちとは疎遠になり、夫を中心に人生がまわっていくようになる。夫婦だけの閉じた関係へと落ち込んでいったのである。その危うい関係は、加藤和彦の不倫をきっかけに均衡を崩していく。『安井かずみがいた時代』はこう記している。

〈愛して欲しいと願った瞬間、人は自由を手放すのである。ただ一人の男が他の女に気持ちを移した瞬間に、二人のパワー・バランスは完全に逆転し、あの自由奔放な人でさえ自我を折り、夫の顔色をうかがいはじめて萎縮していったのだ。〉

安井かずみの親友だった編集者矢島祥子氏が、同書で証言している。

〈完璧な夫婦を演じるのは、大変だったでしょう。安井さんに加藤さんと別れるという選択肢があれば、もっと違う人生があったのではと思います。でも、きっと無理だったんですよね。〉

あまりにも「完璧な夫婦」を演じようとしすぎて、抑圧に転じてしまったのだろう。それでも結婚生活は続いたが、安井かずみは八〇年代末に肺がんを発病。一九九四年に五十五歳で亡くなった。

加藤和彦は、彼女が病没した一年後に再婚している。この再婚には芸能マスコミからの批判が少なくなかった。何も責められることはないと思うが、ふたりが「理想的な夫婦」として描かれすぎたことへの反動だったのかもしれない。加藤はその後うつ病を患うようになり、二〇〇九年にみずから命を絶った。遺書にはこう書かれていた。

〈世の中が音楽を必要としなくなり、もう創作の意欲もなくなった。死にたいというより、消えてしまいたい〉

完璧な夫婦とはいったいなんだったのだろうか。現代の結婚には、「夫婦は永遠の愛を誓うもの」「愛し合わなければならない」といった抑圧が存在しているとわたしは考えている。加藤和彦と安井かずみの夫婦は、そのような結婚観の象徴であり、同時にそこに生じてきた抑圧を一手に引き受けていたカップルだったのではないだろうか。

「恋愛しなければならない」抑圧

この抑圧は、二十一世紀になったいまも日本社会に色濃く残っている。わたしは夫婦揃ってのインタビューを受ける機会がときどきあるのだが、いつもこういう質問を受ける。

「どのぐらい愛し合っていますか」

「おたがいに好きなところはどこですか」

ときには「理想の夫婦ですよね」「完ぺきなカップルですよね」とお世辞を言われることさえある。こうした質問を投げられると、取材される夫婦としては場の空気に合わせてしまう。長年連れ添っていて「いまさら恋愛感情はそんなにないです」とは言いにくい。なので「はい、愛し合っていますよ」「こういうところが大好きです！」と答えてしまう。そしてこういう回答が夫婦の物語として美しく描かれ、それが社会の空気としてさらに定着していく。

しかしながらこのような結婚観、夫婦観はあまりにも固定的でステレオタイプにすぎる。そもそも二十世紀の結婚観は、十八世紀のヨーロッパにおけるロマン主義あたりからスタートしたものである。中世までの結婚は、貴族では政略結婚であり、平民では結婚は子どもをつくり働き手を確保するための手段だった。近代になって、そういう制度的な抑圧からの解放として、ロマン主義的な恋愛のイデオロギーが提唱されたのだ。家の制度や働き手確保のための結婚ではなく、ひとりひとりの自由のあかしとして恋愛をし、たがいに愛し合い、そのゴールとしての結婚がある。結婚したらふたりは永遠に愛し合い、一生を添い遂げる。ディズニーのアニメのエンディングのような物語が求められたのである。

恋愛は中世的な抑圧からの解放であり、個人の自由と解放の象徴だった。日本でも同じである。太平洋戦争が終わった頃、戦前の古いイエ制度から若者たちは解放されたいと願った。一九四七年には作家石坂洋次郎の小説『青い山脈』が発表され、男女の恋愛結婚の素晴らしさが描かれて多くの若者たちに支持された。小説の中で、主人公の英語教師の女性は、恋愛結婚の素晴らしさを語っている。

〈よく世間には、結婚して、子供でもできてしまうと、わるく安心して、お互いの欠点を遠慮なくさらけ出して、だらけた、ノビきった生活をしている人たちがありますけど、私たちの場合はそうでなく、結婚はお互いの人格をより豊かに充実させる一過程であるという風な心持で暮していきたいと思いますの。〉

輝くような戦後の自由の象徴である。しかし『青い山脈』からすでに八十年近くが経っている。恋愛や結婚は自由の象徴ではなく、格差の象徴になりつつあるのが二十一世紀の現実だ。貧困が原因で恋愛も結婚もできない人たちがたくさんいる。モテる人とモテない人のあいだの「恋愛格差」も大きくなり、恋愛できること自体が「勝ち組」と思われるようになった。「恋愛しなければならない」という義務感が抑圧になり、「面倒だから恋愛なんかしたくない」と考える人も増えている。

結婚の理由も、必ずしも「素晴らしい恋愛の帰結」だけではなくなった。経済的なセーフティネットとして、とりあえずは結婚しておきたい、世帯収入を増やしたいという理由の人も多い。かつての「抑圧からの解放の自由」「永遠に愛し合うふたり」という古色蒼然とした結婚観だけでは、間に合わなくなっているのだ。

シェアハウスに仲間たちと住んでいる未婚の女性に、結婚観を訊ねてみたことがある。彼女が結婚に求めているのは、次の二つだという。

「つらいときに相談できたり、トラブルがあったときに助けてくれるパートナーがいるということ」

「一緒に子育てしてくれる人がいること」

そして「前者については、シェアハウスの仲間がいればクリアできちゃう。結婚するとしたら、子どもがほしいという理由だけかな」と話してくれた。生活を互いに支え、何かのためのセーフティネットがほしいのだったら、結婚は必ずしも必要がない。ともに助け合う仲間がいれば大丈夫、という価値観も広まってきているのだ。

「恋愛感情は三年ぐらいしか続かない」という俗説もある。最初は恋愛からスタートしても、長く一緒に暮らしていくと情熱的な恋愛感情はだんだん薄れていき、家族としてのしみじみとした情愛になっていく。それは結婚経験のある多くの人が感じているのではないだろうか。

共依存の果てにあるのは牢獄のごとき結婚生活だ

では、長く続く夫婦の関係はどうすれば維持できるのだろうか。「永遠に愛し合い続ける」というのはディズニーアニメのようで美しいが、現実的ではない。

わたしは「たがいが依存しすぎないこと」「たがいの距離を近づけすぎないこと」だと考えている。こういうことを言うと「冷たい」「ドライすぎる」と感じる人もいるようだが、距離が近すぎて依存し合う関係は、容易に「共依存」になってしまう。共依存は、相手が存在することだけが自分の存在意義になってしまうことだ。家庭内暴力では、片方が一方的に暴力を振るうだけではなく、共依存の関係になってしまっているのが原因になることは多い。共依存は、相手も自分も隷従し隷従される関係なのである。

共依存には、相手を個人としてリスペクトする気持ちは生まれない。そうではなく、適切な距離感を保ちながら、お互いを自立した人間であると認める。それが結婚生活を持続させるのに必要なことなのだ。「結婚したら四六時中一緒にいなければならない。趣味も好きなものも同じがいい」という理想を追う人もいる。しかし求めすぎると、結婚生活は牢獄になってしまう危険性がある。

わたしは妻とふたり暮らしで、どちらも家で仕事をしているが、日中はそれぞれの仕事部屋にこもっていてプライバシーを確保している。必要がなければあまり会話せず、用件があればメッセンジャーで連絡をとり合う。だれと食事にいくのかとか、どこでだれと会っているのかといったことは、たがいに訊ねない。ただし一緒に食事するときだけは、きちんと向き合って楽しく会話するようにしている。

加藤和彦と安井かずみの夫婦は、牢獄のように内向きの関係だった。しかし結婚に限らないが、人間関係はオープンに外に広がっているほうがうまくいく。その開放感が、夫婦の関係をつねに新鮮に換気し、持続させるのである。

生活する場所も同じである。

現代のマンションやアパートのような共同住宅は、産業革命以降の工業化社会で、都市に流入した労働者の生活を安定させるために導入されたものだ。古い農村の大家族の家から、プライバシーが守られた都市の共同住宅に移住することで、個人の自由を実現できた。恋愛結婚と同じように、鉄の扉でプライバシーが守られた共同住宅も、自由の象徴だったのである。

しかし見方を変えてみると、開けっ放しの引き戸や庭に向いた縁側のある伝統的な日本家屋は、外に向かって開かれた住まいでもあった。これは日本だけでなく、近代以前の住宅はたいていそんなものだったのである。鉄の扉のマンションは古い時代の抑圧からの解放だったが、解放がいったん終わってすべてが自由になると、逆に外の世界とつながりにくいまた別の抑圧になってしまっている。鉄の扉のマンションにはご近所付き合いは生まれにくく、これが少子化の一因になっているという指摘もある。

このような近代の閉じた住まいから、オープンな住まいを復興していこうという自然発生的な動きが、二〇一〇年代以降にシェアハウスが広まった背景にあるとわたしは考えている。

自由や恋愛、結婚の意味は、前世紀と現在では大きく変わった。暮らしの分野でも、あらゆるものが二十一世紀には変更を迫られてきているのである。

トレードオフ社会を生き抜くために
〜あとがきにかえて〜

新型コロナ禍をめぐる予防と経済の二局面

わたしたちが生きている現代の社会はとても複雑で多様で、さまざまなできごとやものごとが、相互にからみ合っている。何かのアクションを起こすと、たいていの場合は思わぬ余波を生む。「こちらを立てればあちらが立たず」である。英語で言えばトレードオフ。何かを達成しようとすると、別の何かが犠牲になってしまうことを意味している。

二十一世紀の社会は、「トレードオフ社会」なのである。

トレードオフ社会の典型的なケースは、新型コロナ感染症だった。感染を抑制しようとすると、経済がまわらなくなってしまう。経済をまわそうとすると、今度は感染が拡大してしまう。このトレードオフをなんとか抑え込もうと政府も自治体も企業も個人も、みんなが苦心惨憺することになった。

「感染予防」と「経済をまわす」は、たがいに綱引きのように引っ張り合っている。運動会の綱引きなら、完全に引っ張ってしまって相手を崩れ落ちさせたチームが勝利となる。しかし現実のトレードオフ社会は、そういうわけにはいかない。片方が崩れ落ちてしまったら、社会が混乱に陥ってしまう危険性があるからだ。感染が爆発してはならないし、経済が完全にダメになってしまうのもどちらも良くない。

どちらにも完全に倒れてしまわないように、どのぐらい引っ張れば倒れてしまうのか、倒れないようにどう引っ張り合えばいいのかという全体のバランスを計算しつつ、政策を決めていかなければならないのである。

つまりは、パワー同士がバランスをとっている状態が求められているのである。「パワーバランス」を維持しなければならないということである。

それでも日本は諸外国にくらべれば新型コロナの死者数は少なくすみ、補助金や給付金など巨額の財政投入で経済の破滅的な落ち込みも回避できた。完全な「成功」とは言えずとも、「失敗」というほどではなかった。しかしこのようなパワーバランスは、見ようによってはとても中途半端な状態でもある。だから安易に批判されがちだったというのは、第二章で説明した通りである。

トランスジェンダーをめぐる弱者と強者の絶対性

もう一つ例を挙げよう。二〇二三年に成立したLGBT理解増進法についての議論である。当初の法案は、与野党の協議で「性自認を理由とする差別は許されない」という文言が加えられ、これが論争になった。

なぜ論争になったのかと言えば、トランスジェンダーの「性自認イコール性別」に対する危惧が懸念されたからである。この「性自認イコール性別」というのは、性転換手術などを受けていなくても、つまり、男性器がある人でも「自分は女性である」という認識を持つ人なら、「女性として扱う」ということである。

欧米ではこの「性自認イコール性別」を法制化する動きがあり、実際に法制度になっている国もある。たとえば英スコットランドでは二〇二二年、性別を法的に変更する際に、医師の診断書は不要で自己申告さえあれば変更を可能とする法律が成立した。ところがこの法律をもとに、女性をレイプした男性が「自分はトランスジェンダーの女性である」と訴え、女子刑務所に移送されるというできごとが実際に起きている。

また米カリフォルニア州では、州法で性自認による差別が禁止されている。この結果、二〇二一年に温浴センターで元男性のトランス女性が女風呂に入り、小さな女の子の前で男性器を勃起させたという事件が起きた。

このような事態が欧米で起きている。これにシス女性（性自認と生まれ持った性別が一致している女性）が不安を感じるのは当然ではないだろうか。

ところが新聞は、この女性の権利との衝突への懸念を「保守派の反発」「新たな差別」と一蹴した。たとえば、毎日新聞はＬＧＢＴ理解増進法に反対の声が出ていることについて、こう書いた。

〈保守的な意見を代弁することをアイデンティティーにしていたりする議員が今は抵抗している〉（『「自民の反対派はあきらめて」　進まぬＬＧＢＴ法整備　荻上チキ氏』二〇二三年四月二十四日）

同紙は五月二十三日にも、「ＬＧＢＴ法連合会」の事務局長の談として以下のコメントを掲載している。

〈「新たな差別を作り出すもので、断固として容認できない」。〉（『ＬＧＢＴ法案　国民検討の「多数派への配慮規定」、当事者ら抗議』）

シス女性への配慮が、なぜ「新たな差別」になってしまうのか。

ここには、トランスジェンダーを絶対的な弱者として配置し、弱者への異論はすべて「差別」と見なすという発想が、浮き彫りになっている。トランスジェンダーとシス女性のパワーバランスを調整するという発想が、完全に欠けているのである。しかし、第一章の冒頭でも述べたように、「だれが強者か」「だれが弱者か」を固定的に決めつけてしまうことには問題が多い。

二〇二三年のLGBT理解増進法は、最終的に「性自認を理由とする差別は許されない」を「性同一性を理由とする不当な差別はあってはならない」と文言を変更することで自民党内で決着し、国会に提出して可決された。妥当な帰結ではあったが、トランスジェンダーとシス女性の権利の衝突について法案で踏み込めなかったのは、残念と言わざるを得ない。

この権利の衝突を「どちらが正しいか」で争うのは意味がない。なぜならたいていの場合、どちらも「正しい」からだ。正しさはただ一つではない。現代の社会には無数の正しさがある。それぞれの正しさを武器のようにぶつけ合うのではなく、正しさと正しさの折り合いをつけることでしか問題は解決しない。

いま必要なのは「正しさをバックにして糾弾する」というような手法ではない。糾弾や攻撃のようなやりかたでは、トレードオフ社会の問題は何も解決しない。

弱者の救済はもちろん必要だが、そこにはつねにパワーバランス思考が取り入れられなければならない。「いまのところ弱者だと思われている人」と「いまのところ強者だと思われている人」のあいだのパワーバランスを調整することが肝要なのである。

トランスジェンダーの件で言えば、シス女性を強者として糾弾することではない。トランスジェンダーの権利が少しでも脅かされれば「差別だ」と抗議することでもない。トランスジェンダーとシス女性の権利が衝突しているのだから、どこで折り合いをつけるのかという調整が必要なのである。具体的に言えば、手術なしの性自認をどこまで認めるのか。トイレや浴場での扱いはどうするのか。スポーツ競技への出場をどこまで認めるのか。そういった具体的な点について、検討し調整しなければならない。

分断を進めるだけだったアイデンティティ・ポリティクス

第四章で説明したように、日本でも欧米でも、社会主義を拠り所にしていた左派はかつては労働者の味方だった。しかし一九九〇年代に入ると労働者の味方であることを辞め、女性や障がい者、少数民族などマイノリティの権利を擁護するアイデンティティ・ポリティクス（アイデンティティ集団のための政治）へと舵を切っていくことになった。このような流れは欧米で始まり、やがて日本にも波及した。

第四章はこれについてポストモダンの議論を紹介したが、これにくわえて、第二次世界大戦後に日米欧では工業化が進んで労働者が豊かになり、戦前のような「資本家と労働者の対決」という構図が消失したという経済的背景もある。左派が労働者の味方をしなくても、経済成長で労働者は豊かになってしまったのだ。

ところが、経済をめぐる状況は二十一世紀に入るとまたも変化してきた。戦後の高度経済成長が落ち着いてしまったことで、低成長の時代に入り、経済の先行きが不透明になった。いっぽうで東西冷戦がなくなったことにより、日米欧の政権は自国が社会主義化する心配がなくなった。つまり、労働者に耳当たりの良い政策を採る積極的なモチベーションが薄れたのである。

この帰結として、経済をふたたび成長させるために特定分野の産業に政府は肩入れをするようになる。アメリカやイギリスでは、これが金融とITだった。しかし、金融とITはいずれも少数精鋭の従業員によって駆動するビジネスで、雇用は増やさない。いっぽうでグローバリゼーションが進行して世界中をモノやカネが流通するようになり、工場は途上国へと海外移転をしていく。

すると何が起きたか。欧米の経済成長は金融とITでふたたび軌道に乗ったが、戦後の成長で豊かになっていた労働者は仕事を失って貧困層へと転落していったのである。

しかし、アイデンティティ・ポリティクスに傾斜していた左派は、もはや労働者に目を向けることはなかった。ふたたび貧しくなった労働者を擁護してくれる政治は消滅し、これがトランプ大統領のようなポピュリズム政権を誕生させたのである。ヨーロッパで相次いで極右の政党が躍進しているのも、トランプ大統領誕生と同じ流れである。

アイデンティティ・ポリティクスは、女性やトランスジェンダーや障がい者や少数民族といったマイノリティを擁護するところからスタートしている。しかし、アイデンティティ・ポリティクスが表舞台に出過ぎたせいで、アメリカではかつては強者だった（そしていまでは貧困な弱者に転落しつつある）白人男性の権利が無視されることになり、社会の分断を広げる結果を招いてしまっている。これは日本でも同じである。弱者化している中年男性の権利が、左派のアイデンティティ・ポリティクスではほぼ無視されているのだ。

社会の統合を取り戻すためには、分断を広げるだけのアイデンティティ・ポリティクスを乗り越える必要がある。その点において、二十一世紀のトレードオフ社会に適合したパワーバランス視点の重要性がまさに浮上してきているのだ。

社会をふたたび統合したうえで、社会をどう維持し、どう改良していくのかという建設的な姿勢がこれからは必要だ。古くさい「右派と左派」などではなく、健全な議論軸が新たに求められているのだ。

二〇二三年九月

佐々木俊尚

JASRAC 出 2306857-301

佐々木俊尚（ささき・としなお）

作家・ジャーナリスト。1961年兵庫県生まれ。早稲田大学政治経済学部中退。毎日新聞記者、『月刊アスキー』編集部を経て、2003年よりフリージャーナリストとして活躍。ITから政治、経済、社会まで、幅広い分野で発言を続ける。最近は、東京、軽井沢、福井の3拠点で、ミニマリストとしての暮らしを実践している。2006年には国内の影響力のあるブロガーを選出する「アルファブロガー・アワード」を受賞。 2010年には『電子書籍の衝撃 本はいかに崩壊し、いかに復活するか?』（ディスカヴァー携書）で情報・通信分野に関する優れた図書に贈られる「大川出版賞」を受賞。『レイヤー化する世界』（NHK出版新書）、『そして、暮らしは共同体になる。』（アノニマ・スタジオ）、『時間とテクノロジー』（光文社）、『現代病「集中できない」を知力に変える　読む力　最新スキル大全』（東洋経済新報社）、『Web3とメタバースは人間を自由にするか』（KADOKAWA）など著書多数。

この国を蝕む「神話」解体

市民目線・テクノロジー否定・テロリストの物語化・反権力

第1刷　2023年9月30日

著　者　佐々木俊尚

発行者　小宮英行

発行所　株式会社徳間書店

〒141-8202 東京都品川区上大崎3-1-1 目黒セントラルスクエア
電話　（編集）03-5403-4350／（販売）049-293-5521
振替　00140-0-44392

印刷・製本　三晃印刷株式会社

ISBN978-4-19-865684-3